FRANCE-ALLEMAGNE :
LE BOND EN AVANT

NOTRE EUROPE
association présidée par
Jacques Delors

FRANCE-ALLEMAGNE : LE BOND EN AVANT

Laurent Bouvet
Jacques Delors
Dr Donate Kluxen-Pyta
Karl Lamers
Joseph Rovan

EDITIONS
ODILE JACOB

© ÉDITIONS ODILE JACOB, MARS 1998
15, RUE SOUFFLOT, 75005 PARIS
INTERNET : http//www.odilejacob.fr

ISBN : 2-7381-0580-7

LE GROUPEMENT D'ÉTUDES
ET DE RECHERCHES
« NOTRE EUROPE »

Le Groupement d'études et de recherches « Notre Europe », présidé par Jacques Delors, a pour objectif central de contribuer au débat d'idées sur les grandes questions liées à l'avenir de la construction européenne.

Il est composé d'une petite équipe de chargés de mission de différentes nationalités.

L'Association « Notre Europe » élabore des études et propositions sous sa propre responsabilité, et sollicite chercheurs et intellectuels pour participer à la réflexion.

Elle organise également des rencontres et des séminaires, en partenariat avec d'autres institutions dans les différents pays européens.

Adresse : 44, rue Notre-Dame-des-Victoires – 75002 Paris

PRÉFACE

par Jacques Delors

Alors que les années qui viennent seront marquées par des décisions cruciales pour ce qui concerne l'avenir de l'Europe et des pays qui la composent, nous soumettons à la réflexion critique du lecteur un ensemble de textes consacrés aux relations entre l'Allemagne fédérale et la France, et à chacun de ces deux pays. Le titre de cet ouvrage, qui est délibérément volontariste, veut illustrer à la fois l'importance de ces relations et l'impérieuse nécessité qu'elles se développent, en intensité et en profondeur, au niveau adéquat que requièrent les défis de l'Histoire.

Un devoir de mémoire s'impose tout d'abord, dans ce contexte de consommation frénétique des informations et de surgissement d'émotions trop vite oubliées. Comme si le passé ne nous fournissait pas des enseignements durables pour l'avenir. C'est à Joseph Rovan que cet exercice a été demandé, à lui qui fut un des pionniers de la réconciliation, un acteur innovant et militant, un témoin extraordinairement bien placé pour mettre en lumière les ressorts de cette histoire marquée à la fois par l'enthousiasme et le scepticisme, la confiance et la crainte, le dit et le non-dit.

Il est intéressant de souligner la force de cette relation qui a résisté à bien des tensions. Et cela doit nous rendre optimistes pour l'avenir. Quand on songe que le traité de l'Élysée (1963) a pu être considéré, à juste titre, comme « un traité donné très vite comme mort-né », et que, malgré tout, il sert de référence et d'incitant, aujourd'hui encore. À tel point que certains voudraient, en quelque sorte, le compléter, voire le refondre.

Le lecteur notera également que l'agenda de cette relation, durant les dix dernières années, est dominé exclusivement par la question européenne, par les volontés communes exprimées et ayant joué un rôle indiscutable d'entraînement, mais aussi par les divergences qui se sont manifestées, en maintes occasions, avec, chaque fois, comme conséquence, des ratés dans la construction européenne.

C'est précisément ce constat qui nous a conduits à demander à deux jeunes intellectuels, Donate Kluxen-Pyta, pour l'Allemagne fédérale, et Laurent Bouvet, pour la France, de jeter un regard neuf sur le grand débat qui secoue chaque pays, sur l'avenir de la nation confronté à la construction d'une Europe unie.

Les deux auteurs s'attachent à plonger dans le patrimoine et les traditions de chaque pays pour dégager l'immuable dans la vie d'une nation. On y décèle immédiatement les différences profondes entre les deux et la grandeur qui s'attache aux perplexités des uns et aux refus des autres.

Il ne faut surtout pas croire, en dépit des apparences, qu'il s'agit là de données réservées aux seules confrontations intellectuelles et élitistes. Il y va de l'âme et de la chair de nos peuples, de leur capacité aussi de concilier fidélité aux valeurs essentielles et participation à ce qui peut apparaître, *a priori*, comme une rupture ou un renoncement.

Rester fidèle à soi-même, aborder le monde tel qu'il est, retrouver une ambition qui serait commune à nos deux pays et fondée sur la compréhension mutuelle et sur la fraternité, tel est le devoir que s'étaient assigné les générations en charge des responsabilités depuis la fin de la guerre jusqu'à aujourd'hui. Tel est le flambeau que nous souhaiterions transmettre aux jeunes générations qui, sans rien oublier du passé, sont nées dans un monde relativement nouveau et doivent imprimer leur propre marque à l'événement à venir. C'est pour eux aussi que nous avons pensé à produire cet ouvrage collectif.

C'est à eux que s'adressent les réflexions finales de deux protagonistes des temps présents, Karl Lamers et l'auteur de cette préface.

Bien entendu, il y est question de ce qui devrait être fait pour surmonter les incompréhensions, développer les coopérations adaptées, affronter les échéances de la construction européenne. Mais, au-delà de ces analyses et de ces propositions, c'est un message d'espoir que nous souhaitons transmettre.

Car, durant ces cinquante dernières années, bien des
tempêtes secouèrent le navire franco-allemand, mais
sans jamais interrompre durablement le mouvement
en avant.

Comme le montre ce livre, cette réussite – rela-
tive comme toute aventure historique – fut le fruit
de l'action lucide et déterminée de quelques responsables, et s'appuie, aussi, sur le travail militant de tous
ceux qui entretiennent le dialogue et la coopération
entre nos deux peuples.

Regards
sur cinquante années

FRANCE-ALLEMAGNE
1948-1998

par Joseph Rovan

On parle souvent du traité franco-allemand de 1963 comme si l'entente des deux États avait pris son départ avec l'accord signé par Charles de Gaulle et Konrad Adenauer, ce qui n'est pas exact. D'abord, parce que les efforts pour donner une nouvelle perspective aux rapports entre la France et l'Allemagne ont commencé dès la fin de la guerre en 1945. L'organisation au service de la réconciliation et du rapprochement franco-allemand que j'ai l'honneur de présider, le Bureau international de liaison et de documentation (BILD), a été fondée dès le mois d'août 1945 par le RP du Rivau ; c'est à mon retour de Dachau que j'ai publié dans *Esprit,* en octobre 1945, le texte intitulé « L'Allemagne de nos mérites » qui est souvent cité comme l'un des fondements du travail qui, dès cette époque, a été entrepris par certains responsables de la politique menée en Allemagne occupée par les services français. C'est en 1949 qu'a été fondé l'Institut franco-allemand de Ludwigsburg qui est toujours l'un des centres les plus importants au service d'une véritable interpénétration culturelle et politique de nos deux sociétés. Beaucoup d'autres faits et beaucoup d'autres œuvres de ce genre pourraient être notés, comme ces rencontres de jeunes, et notamment d'étudiants, lancées dans l'été 1946 en Bade Sud et Wurtemberg Sud et dont la tradition a été reprise par l'Office franco-allemand pour la jeunesse, directement issu du traité de 1963. Ces actions et ces écrits s'inscrivaient dans une vision qui avait considéré la Seconde Guerre mondiale comme une guerre civile internationale : l'Allemagne nazie avait eu ses agents et alliés en France, et notre Résistance avait eu ses alliés en Allemagne dont, dès 1945, nous pûmes rencontrer les survivants et les héritiers.

L'ancien de Dachau que je suis se souvient qu'avant l'arrivée du premier Français résistant, ce camp terrible avait vu passer dans ses baraquements plus de cent mille Allemands et Autrichiens, adversaires du national-socialisme. Nous souvenant des efforts de réconciliation qui avaient porté de beaux fruits dans les années 1920 avant d'être anéantis par l'hitlérisme, nous pensions, et nous devions, reprendre cette entreprise dans un monde où la terrible et mortelle aventure nazie avait successivement mené à des défaites capitales la France en 1940 et l'Allemagne en 1945, dans un monde désormais dominé par des super-puissances extérieures à l'Europe.

C'est en 1948 que se préparent en Allemagne de l'Ouest, dans les zones d'occupation américaine, anglaise et française, les structures qui vont, en 1949, former la République fédérale. Trois années seulement s'étaient écoulées depuis la signature de la capitulation sans conditions des forces armées de l'Allemagne hitlérienne, mais des années d'une incroyable densité d'événements et de développements. En un temps très court, la nouvelle perspective de la tension Est-Ouest s'est imposée à la réalité de l'après-guerre avec la réduction des pays de l'Europe centrale et orientale (Allemagne de l'Est comprise) au rôle de satellite soviétique livré, à l'intérieur, à la domination communiste. La politique française vis-à-vis de l'Allemagne, non sans hésitations et atermoiements, a dû se plier à ces normes sur lesquelles nous n'avions guère de prise.

Dans l'opinion, et parmi les responsables politiques et administratifs, des positions et sentiments antiallemands conservaient un poids considérable. Le désir de vengeance et les réactions nationalistes étaient – en comparaison avec la période de l'immédiat premier après-guerre – à la fois très enracinés et beaucoup plus répartis sur l'horizon idéologique : à l'antigermanisme de droite s'ajoutait l'antifascisme de gauche, très consciemment exploité par le parti communiste strictement soumis à l'autorité stalinienne. Se venger de l'Allemagne était un objectif qui se prolongeait dans la volonté d'empêcher le peuple vaincu – et à jamais – de reprendre des politiques impérialistes : en lui arrachant des territoires, en affaiblissant sa puissance économique et en décomposant l'unité naguère fondée à Versailles, ces objectifs rencontraient alors, au moins partiellement, et pour un temps plus ou moins provisoire, ceux de la politique soviétique (bien que celle-ci, à certains moments, eût aussi tenté de jouer la carte de l'unité allemande). L'évolution de la situation intérieure française tendait à accroître l'opposition entre le PC et les autres forces politiques, et l'attitude soviétique dans le monde et en Europe contribuait de plus en plus fortement et visiblement à isoler le PC français (l'effet du « coup de Prague » en 1948 ne saurait être sous-estimé). Mais, dès le printemps de 1947, à la Conférence des quatre « Grands » à Moscou, la France, dont les revendications étaient rejetées par l'URSS, se trouva réduite à chercher vers l'Allemagne l'entente avec les Anglo-Américains. La situation extérieure et les développements intérieurs s'unirent pour aboutir à l'exclusion des communistes du gouvernement français et à créer des tensions sociales et socio-politiques inquiétantes aux yeux des adversaires de l'URSS. C'est dans ces conditions, ayant obtenu des Anglais et des Américains l'accord pour le détachement de la Sarre du corps allemand et pour un contrôle strict des industries du charbon et de l'acier, fondements de toute remontée d'une menace militaire, que la France dut se rallier à l'idée de la constitution d'une forme étatique allemande englobant les trois zones occidentales. Ces concessions et ces ralliements se firent lentement, souvent à contrecœur et par étapes : après l'entrée de la zone française dans l'unité économique de l'Allemagne de l'Ouest (la « Trizone ») au début de 1948, après la conférence de Londres qui ouvrait le chemin à l'élaboration de structures étatiques ouest-allemandes, et après la réforme monétaire commune aux trois zones (et après le blocus de Berlin qui fut la réponse soviétique – en même temps l'URSS quittait le Conseil de contrôle interallié à quatre).

La France accepta la convocation d'une Assemblée parlementaire chargée de doter d'une constitution le futur État d'Allemagne occidentale. Tout en pesant sur ce travail dans un sens fédéraliste accentué, la politique française accepta le résultat : la « Loi fondamentale ». À partir de l'été 1949, les institutions des deux États allemands se mettaient en place (dans cette même année, la victoire communiste en Chine changea d'une manière drastique le système des forces dans le monde). L'Allemagne de l'Ouest devenait un instrument indispensable des stratégies occidentales (ne fût-ce que pour l'empêcher de devenir un instrument de la stratégie stalinienne). Bientôt, elle allait apparaître comme un allié indispensable.

Dans la nouvelle majorité politique française sans les communistes et de plus en plus anticommuniste, l'attitude envers l'Allemagne se répartissait entre les tenants d'une méfiance résignée à accepter une certaine association contrôlée avec le nouvel État, les partisans d'une entente réelle avec des forces démocratiques d'une Allemagne nouvelle, chrétiens-démocrates et sociaux-démocrates, et les adhérents militants à l'idée d'une Europe unie dont l'Allemagne ferait partie intégrante. De nombreuses personnalités du monde politique et de ce qu'on appelle aujourd'hui les « médias » adhérèrent à la fois aux deux dernières de ces positions. Ce fut notamment le cas de beaucoup de responsables du MRP (la version française de la Démocratie chrétienne) dont le plus en vue était le Lorrain Robert Schuman, sous l'égide duquel s'élabora le projet d'une Communauté européenne du charbon et de l'acier destinée à remplacer le contrôle par les vainqueurs des industries clés allemandes de la Rhénanie et de la Ruhr.

La guerre de Corée, qui met aux prises directement des forces américaines avec des armées communistes, va accélérer les processus de récupération-intégration de l'Allemagne non communiste dans les structures occidentales. La République fédérale entre au Conseil de l'Europe, après avoir bénéficié de l'aide Marshall. Pour pouvoir contrôler le processus, la France propose la création d'une Communauté européenne de défense qui n'échouera, en 1954, devant les oppositions croisées (communistes, résistants qui ne veulent pas oublier l'adhésion massive du peuple allemand au nazisme, nationalistes qui ne veulent pas renoncer à la souveraineté nationale en matière de défense) – l'attaque communiste en Corée du Sud ayant finalement échoué – que pour ouvrir la voie à l'entrée directe de l'Allemagne de l'Ouest dans l'OTAN, ce qui constitue évidemment un renforcement de souveraineté pour le nouvel État allemand. Cette ouverture majeure jette une lumière crue sur l'attitude d'une grande partie de la « classe politique » française, aussi bien de gauche que de droite. Pour sauvegarder des éléments de souveraineté nationale de moins en moins consistants, on accepte que l'Allemagne, elle aussi, récupère ce qui, aux yeux de ces responsables français, aurait dû lui être refusé. En fait, la crise de la CED signifie l'abandon du contrôle sur l'Allemagne non communiste à la seule puissance américaine...

Et comme le domaine économique, et même la technologie industrielle avancée paraissent à ces esprits rétrovertis moins directement liés aux aspects traditionnellement primordiaux de la souveraineté nationale, la France de la fin des années 1950 accepta le projet d'une Europe ne formant qu'un seul « marché commun » et – sous beaucoup plus de réserves – celui d'une structure intégrée de l'industrie atomique civile (tout en lançant confidentiellement un projet d'association financière de la république fédérale d'Allemagne à l'édification d'une force atomique militaire française). Ces progrès ont été rendus possibles par la liquidation, en 1957, des prétentions françaises qui voulaient sortir la Sarre de l'unité politique et économique de l'Allemagne. De l'échec de la conférence de Moscou au printemps de 1947, qui marque le début du ralliement français à une politique allemande commune des puissances occidentales aux traités de Rome, le cheminement de l'histoire a mis dix ans. Mais, cinquante ans après le printemps de 1947, la France vit encore face à la construction européenne les mêmes contradictions fondamentales qui souvent, aujourd'hui encore, se nouent à une vision de l'Allemagne à la fois hostile et craintive. Celle-ci se nourrissait aussi, pendant la longue période de nos deux grandes guerres coloniales, de 1945 à 1962, d'un double complexe de supériorité et d'infériorité. La France, et les deux conflits que l'on vient de citer le prouvaient d'une certaine manière, restait ou prétendait rester une puissance mondiale alors que ses moyens ne lui permettaient plus de maintenir les positions sur lesquelles ces prétentions prenaient appui, comme le prouva l'issue fatale des deux guerres extra-européennes. Celles-ci absorbèrent, par ailleurs, une grande partie des moyens matériels du pays, moyens qui, de ce fait, étaient soustraits au développement normal, au développement équilibré de notre économie.

On méprisait quelque peu une Allemagne qui avait renoncé à ses visées et visions de naguère, qui ne rêvait plus de grandeur mondiale, mais on la jalousait en même temps et on la craignait à cause de ses succès économiques. Une France si profondément et si malheureusement engagée loin d'Europe abandonnait dans une large mesure à l'Allemagne la maîtrise de la construction européenne, mais en même temps on se méfiait d'une Europe qui serait allemande d'une nouvelle manière, le deutsche Mark remplaçant les armées du Kaiser et du Führer.

On a pu s'étonner que le général de Gaulle, après son retour au pouvoir en 1958, ait accepté avec quelque hésitation l'entrée en application du traité sur le Marché commun au 1er janvier 1959, alors qu'il s'opposait en principe à tout abandon de cette souveraineté qu'il avait lui-même rétablie en empêchant, à la fois, en 1944 que la France ne tombe dans une situation de pays sous gouvernement directement géré par les autorités militaires américaines et qu'elle ne se trouve, en partie ou entièrement, placée sous un pouvoir communiste lui-même dirigé depuis Moscou. Sans doute y avait-il chez lui, aussi, un certain mépris de l'économique qui ne se situait pas à l'intérieur du cercle essentiel de la souveraineté. Cette thèse peut paraître confirmée par le rejet résolu du projet d'union politique de l'Europe, en 1962, pour lequel de Gaulle utilisa la manière indirecte en mutilant le « plan Fouchet » jusqu'à le rendre inacceptable aux partenaires de la France dans l'Europe des Six.

Le traité franco-allemand de 1963 n'est donc pas un commencement, mais une étape comportant d'ailleurs des aspects à la fois très positifs et très négatifs. Les efforts en faveur de l'entente franco-allemande avaient commencé, nous l'avons vu, dès 1945.

Les activités dans le domaine de la jeunesse et de l'éducation populaire, qui avaient tenu une très grande place dans le cadre de l'administration du gouvernement militaire (du haut commandement français en Allemagne), furent continuées amplement, quoique avec des moyens plus réduits, entre 1952 et 1963, sous l'autorité de l'ambassadeur haut-commissaire. Les nombreux germanistes français dans l'ex-zone française et à Berlin-Ouest furent souvent à l'origine de la création de cercles franco-allemands et de jumelages. Sous la direction effective du jeune Alfred Grosser, le Comité français d'échanges avec l'Allemagne nouvelle, inspiré par Emmanuel Mounier et par Jean Schlumberger, fit venir à Paris dans les années 1950 des personnalités de cette nouvelle Allemagne dont les écrivains commencèrent à être traduits et les films à être présentés à un public qui se passionnait pour cet art nouveau. Entre un certain nombre de personnalités politiques des deux pays, le commun attachement à l'idée européenne créait une association amicale qui n'avait pas eu son pareil dans les passés modernes.

Par ailleurs, si l'on veut placer le traité de janvier 1963 dans son véritable contexte, il faut le situer tout d'abord par rapport aux intentions de ses auteurs, Konrad Adenauer et Charles de Gaulle. Le retour au pouvoir du Général avait, au départ, effrayé beaucoup de dirigeants allemands et beaucoup de gens des médias qui cultivaient des liens déjà anciens avec les hommes politiques de la IVe République, socialistes et surtout MRP, dans l'ensemble réservés, voire hostiles à de Gaulle qu'ils avaient dû accepter devant le péril majeur que représentaient les gens d'Alger, les tenants militants et militaires de l'Algérie française, lancés dans une entreprise qui allait déboucher sur une sorte de franquisme français.

Je me souviens que, lors d'une conférence que je fis en Allemagne en mai 1958, un des organisateurs me dit à la fin que, si le fascisme triomphait en France, je trouverais un amical accueil en Allemagne.

De Gaulle n'était pas un fasciste, mais sa vision de la France et du monde avait ses racines dans les passés de plus en plus éloignés de la grandeur nationale. C'est pourquoi, dans la logique de son rejet des parties essentielles du plan Fouchet, il se prononça ensuite avec vigueur contre l'entrée de la Grande-Bretagne dans l'Europe des Six. Il savait que, dans la suite de 1914-1918, de 1940, de 1944, la position de la France dans le monde n'était plus ce qu'elle avait été. Mais, dans son esprit, la grandeur de la patrie devait à présent s'affirmer à l'aide d'éléments nouveaux parmi lesquels pouvait compter, et même beaucoup compter, une Europe des patries, basée sur l'entente franco-allemande, dans laquelle la France devait jouer un rôle prépondérant – justement à cause des limitations qui s'imposaient à l'Allemagne du fait de son passé hitlérien. Dans l'association franco-allemande, la France de De Gaulle ferait le cavalier. Appuyée sur et par l'Allemagne, la France pourrait facilement faire prévaloir ses vues dans l'Europe des Six, tenir l'Angleterre éloignée, et rétablir au sein de l'Alliance de l'Ouest un certain équilibre avec l'Amérique, ou tout au moins réduire le déséquilibre entre une superpuissance mondiale et une Europe disséminée.

À ces vues, le chancelier Adenauer, âgé de quatre-vingt-six ans, ne pouvait pas apporter une réponse aussi fortement charpentée. Depuis 1961, il n'était plus qu'un chef de gouvernement à temps limité, puisqu'il avait dû prendre l'engagement de se retirer à l'automne 1963.

Parallèlement, sa confiance dans les États-Unis, fondement de sa politique extérieure depuis les origines – parallèlement à la volonté de réconciliation avec la France au service de la construction d'une Europe unie (mais c'étaient là des perspectives d'avenir, et les États-Unis étaient *la* réalité dans le jeu des puissances de ce monde), se trouvait fortement ébranlée par la disparition de Foster Dulles, son principal compagnon de route depuis les premiers temps passés à la tête du gouvernement allemand, et par l'arrivée au pouvoir du président Kennedy qui appartenait à une Amérique très différente de celle de Truman et d'Eisenhower. Les initiatives du jeune Président lui paraissaient désordonnées et dangereuses. De plus, Adenauer n'avait pas réussi à se donner un dauphin en qui il pût avoir confiance. Son parti lui avait imposé comme successeur le Pr Ludwig Erhard, ministre fédéral de l'Économie depuis les débuts en 1949 et que l'opinion considérait avec admiration comme le père du « miracle économique allemand ». Adenauer, lui, voyait en Erhard un caractère faible, dépourvu de sens politique et des connaissances élémentaires en matière internationale dont doit disposer un chef de gouvernement allemand s'il veut, ambition obligatoire, ramener l'Allemagne à son rang dans la compagnie des nations. Adenauer était résolu à lier Erhard autant que possible afin de l'empêcher de détruire l'œuvre encore fragile construite depuis 1949. L'entente organisée et approfondie avec de Gaulle devait garantir cette œuvre contre les extravagances de Kennedy et les incapacités d'Erhard. Ainsi, les deux pères du traité franco-allemand vouaient chacun cet instrument à des objectifs impossibles à atteindre : l'Allemagne de

1963 ne pouvait être ou devenir l'instrument passif et discipliné de la politique française, et la tentative de lier les mains du successeur devait conduire Adenauer à un échec voyant et humiliant : l'adoption par le Bundestag du « Préambule » au texte du Traité qui, s'il ne constituait pas formellement un rejet du texte signé, subordonnait celui-ci, par une décision unilatérale, à des affirmations qui le vidaient de son contenu essentiel.

La primauté de l'Alliance atlantique et le but fédéral de la construction européenne qui devait assumer les principales tâches des souverainetés nationales y étaient affirmés sans ambages. Le texte ratifié par le Bundestag n'avait de ce fait plus grand-chose à voir avec les intentions de ses signataires. Au bout de quelques semaines, par sa formule sur le traité qui avait vécu ce que vivent les roses, de Gaulle prononça en quelque sorte l'oraison funèbre de celui-ci. Le miracle – ou plutôt la force des choses qui ont agi dans ce sens – fut que le Traité fût encore vivant, efficace et utile trente-cinq ans après qu'on l'eut enterré sous le Préambule.

Pendant cette période qui s'étend sur l'unité d'une vie humaine, la relation franco-allemande a été continuellement soumise à une profonde contradiction interne qui, cependant, n'a pas bloqué des développements dont on peut dire qu'ils ont donné à cette relation un caractère tout à coup exceptionnel et même unique. Cette contradiction est en réalité double : d'un côté, les responsables français, à commencer par de Gaulle lui-même, ont eu tendance, surtout dans les premiers temps après la signature, à placer le rapport avec l'Allemagne sur un terrain séparé de celui de la construction de l'Europe unie. Autant que cela se pouvait à l'époque, on aurait voulu à Paris que la relation avec l'Allemagne fonctionnât sur le modèle d'une alliance traditionnelle entre deux États (l'un étant pleinement souverain et l'autre subissant encore quelques limitations à sa souveraineté dont la France gouvernementale n'était d'ailleurs point pressée de la libérer).

L'entente avec l'Allemagne devait contribuer à mettre la France en état de mener une politique qui lui fût propre, au sein de l'Alliance et plus particulièrement face aux États-Unis – et aussi face à l'adversaire soviétique avec lequel on entendait, là aussi, se réserver des possibilités d'action spécifiques.

Du côté allemand, si Konrad Adenauer avait sur le tard conçu l'entente avec la France comme une sorte de « traité de réassurance », de *Rückversiche-rungspolitik,* sur le modèle de celle qui avait amené Bismarck à conclure son traité secret avec la Russie, cette tendance ne disparut pas entièrement par la suite, mais Erhard et son ministre des Affaires étrangères, Schroeder, ne s'intéressaient guère à cette perspective qui retrouva une certaine importance par la suite, mais sans pouvoir porter réellement ombrage à la priorité accordée par la quasi-totalité des responsables gouvernementaux et oppositionnels (quel que fût le parti au pouvoir) à l'étroite solidarité avec les États-Unis. En fait, la liberté de manœuvre

de la France était plus limitée que la plupart des dirigeants français ne pouvaient l'admettre et celle de
l'Allemagne plus grande – mais l'Allemagne se sen-
tait beaucoup plus vulnérable qu'elle ne l'était réellement du fait de la division et de la responsabilité
dont les dirigeants de l'Ouest se sentaient investis
pour les « frères séparés » de l'Est. Cette préoccupation nationale allait d'ailleurs de pair, chez les responsables principaux tant chrétiens-démocrates que
sociaux-démocrates, avec celle d'éviter tout ce qui
pouvait rappeler l'époque où l'Allemagne avait eu
des ambitions d'expansion et de domination. Cependant, à côté de ces préoccupations de nature très
générale, de dimension mondiale, dans les deux
pays, tous ceux qui s'intéressaient au pays et au
peuple voisin, le plus voisin en quelque sorte de tous
les voisins, à sa culture, à son rôle historique, à sa
place dans le temps présent, ne pouvaient que se
réjouir du renforcement nouveau des liens établis
depuis 1945 (et point seulement rétablis, car il y
avait, dans la recherche de nouvelles rencontres avec
ce voisin, une intensité et une multiplication de ter-
rains que l'on n'avait pas connues, notamment après
1918). C'est aux deux bouts extrêmes de ce vaste
domaine des relations entre deux entités essentielles
à l'histoire européenne que le Traité, donné très vite
pour mort-né, devait faire preuve d'une durée, d'une
pérennité et d'une efficacité réellement surpre-
nantes : d'un côté, la décision d'une rencontre au
sommet des responsables supérieurs des deux pays a
été respectée sans aucun hiatus depuis trente-cinq

ans, et cette obligation a pour conséquence une étroitesse et une fréquence des échanges de vue et des mises en commun de projets concernant aussi bien le bilatéral que les domaines de multilatéralité où interviennent les deux États, qui n'a pas d'exemple dans le passé et dans le présent des pays d'Europe. Sans qu'ils aient pu le prévoir, le cadre mis en place par de Gaulle et Adenauer a permis des rapprochements et des réalisations sans lesquels la construction européenne ne serait pas ce qu'elle est devenue aujourd'hui, si limitée qu'elle fût encore par rapport aux plus grandes ambitions.

L'histoire des relations franco-allemandes depuis 1963 peut donc être interprétée comme une succession de crises surmontées chaque fois, après un temps plus ou moins long, pour aboutir à un palier supérieur d'entente. Il n'en aurait certes pas été ainsi si, à travers les différentes couches significatives des deux pays, la conscience de la nécessité de conceptions, visions et actions communes n'avait pas cessé de progresser, en dépit des échecs, des campagnes antiallemandes ou antifrançaises, en dépit de l'hostilité des autres pays membres de la Communauté européenne, de l'Angleterre surtout et de celle des États-Unis – hostilité mitigée de positions positives, surtout en ce qui concerne ces derniers –, et naturellement celle de l'URSS et de ses satellites. L'idée de la réconciliation des ex-« ennemis héréditaires » joua un rôle non négligeable dans l'esprit public des deux côtés de la frontière, et puis – au cours des années et des décennies – une vaste interpénétration organisée créa des dépendances mutuelles sans cesse plus importantes. De même que l'économique n'excitait pas au même titre les sentiments et ressentiments nationaux que la défense ou la politique étrangère quand il s'agissait de transférer des compétences au niveau européen, l'implantation des capitaux allemands en France et français en Allemagne ne suscitait une véritable hostilité que dans les secteurs d'opinion fortement influencés par le parti communiste. Il faut ajouter que, à mesure que l'on s'éloignait des années du combat militaire, de l'Occupation et de la Résistance, voire de l'administration militaire directe dans la zone française d'Allemagne après 1945, d'autres souvenirs s'imposaient, point toujours mauvais et parfois même positifs, ceux des prisonniers de guerre français bien accueillis dans les fermes de Bavière, ceux des prisonniers de guerre allemands qui, en France, avaient fait des expériences similaires ; les rapprochements nés de la présence de dizaines de milliers de militaires français dans des garnisons maintenues pendant plus d'un demi-siècle (quelle erreur d'avoir décidé récemment d'y mettre fin !) et après 1963, la foule compacte des jeunes entraînés dans des échanges le plus souvent très amicaux, par l'Office franco-allemand pour la jeunesse (plus de cent cinquante mille jeunes chaque année – une des plus grandes migrations périodiques en temps de paix jamais organisée !), toutes ces expériences ont contribué à créer entre Français et Allemands un climat qui n'a jamais existé dans le passé entre deux peuples voisins, et souvent engagés dans des affrontements sanglants : vingt-trois guerres entre Français et Allemands depuis l'époque de François Ier et Charles Quint. Ces développements surprenants mais continus expliquent pour une large part la nécessité qui s'est imposée aux responsables des deux pays de surmonter les crises et de poursuivre leur intégration dans l'Europe en vue de l'unification de celle-ci, intégration tantôt voulue et tantôt subie, mais finalement admise dans les deux pays sans susciter des résistances insurmontables et de trop puissants refus.

Sans vouloir ici décliner systématiquement les affrontements franco-allemands des derniers trente-cinq ans, il peut être utile d'en présenter les principaux et de les analyser rapidement. La première grande crise dans nos relations – après la déception française produite par le « Préambule » – fut déclenchée par la décision – naturellement solitaire – de sortir la France des structures intégrées de l'OTAN. De Gaulle voulait que, tout en restant membre de l'Alliance, la France mît fin à tous les automatismes qui l'entraîneraient éventuellement là où les responsables nationaux ne voudraient pas qu'elle s'engageât. En fait, de telles issues ne se sont jamais présentées – mais la solidarité, là où cela devenait nécessaire, devait se pratiquer au coup à coup. Dans un certain sens, la situation ainsi créée eut plus de retentissement à Bonn qu'à Washington, car tout ce qui pouvait diminuer ou affaiblir la solidarité automatique de l'Alliance avec la République fédérale,

toujours exposée à l'inquiétant voisinage soviétique
et aux surenchères est-allemandes, devait profondément effrayer les dirigeants ouest-allemands et leur
opinion. Erhard et Schroeder se virent confirmés
dans l'aversion ou l'inquiétude que leur inspirait la
politique gaullienne.

Puisque la France se retirait, prenant une dis-
tance par rapport à l'OTAN, qui entraînait le départ
des structures de l'Alliance jusqu'alors établies en
France, il n'y avait pas de raisons à la présence des
troupes françaises en Allemagne. De Gaulle, de son
côté, n'avait pas l'intention de les maintenir contre
la volonté du gouvernement allemand. À la fin, grâce
à l'action confidentielle, et de ce fait efficace, du
ministre d'État Heinrich Krone, qu'Adenauer avait
laissé au Cabinet fédéral comme son observateur, un
compromis fut trouvé, mais l'alerte avait été chaude.
Ces trente ans de plus, pendant lesquels des milliers
de jeunes Français purent passer chaque année de
longs mois dans un environnement allemand, eurent
dans l'ensemble des conséquences positives qui font
d'autant plus regretter la décision prise unilatérale-
ment par les autorités françaises en 1996 de fermer
la plupart de ces garnisons. Il eût été plus sage d'établir en France aussi quelques présences militaires
allemandes et de rendre plus nombreuses les unités
mixtes...

On peut ajouter ici que les relations avec l'Allemagne s'améliorèrent de nouveau vers la fin du
« règne » de De Gaulle – notamment à cause de la
rapidité et de la fermeté de la réaction du Général

lors de la construction du mur de Berlin. Mais, à cette époque, le vis-à-vis allemand n'était déjà plus Ludwig Erhard. Entre-temps, la longue suspension de la participation française au Conseil des ministres des Communautés européennes avait été un fort élément de perturbation : là aussi, il s'agissait de préserver l'indépendance française des limitations que pouvaient lui infliger des votes majoritaires. Sur un autre plan, l'opinion allemande s'inquiéta fort des raisons et des conséquences de la volonté française de doter notre pays d'un armement atomique dont l'Allemagne, à quelques exceptions près, ne voulait pas et que le mouvement pacifiste, en plein essor au cours des années 1960, rejetait globalement. Vingt ans plus tard, le domaine atomique fut à nouveau le terrain de tensions sérieuses (au niveau de l'opinion plus qu'au gouvernement) quand la France décida de se doter d'armes à portée limitée dont l'objectif pouvait se situer dans les deux Allemagnes. Tous ces sujets relevaient d'affirmations continues de prétentions françaises à une indépendance à l'intérieur de l'Alliance, qui agaçaient nos partenaires autant qu'elles inquiétaient en affirmant une vocation à un rôle de puissance mondiale que beaucoup d'Allemands jugeaient dépassée, sinon dérisoire.

La crise de 1968 n'intéressait pas directement les relations franco-allemandes, tout au moins sur le plan officiel, mais les émotions qui éclatèrent à ce moment dans les deux sociétés montrèrent que, par-delà les différences historiques et culturelles, des similitudes de plus en plus frappantes s'y faisaient vives. Indirectement, les agitations et les convulsions françaises entraînèrent en 1969 le départ de De Gaulle, alors que la gauche prenait le pouvoir en Allemagne dans une atmosphère où le militantisme pacifiste tenait une place limitée mais certaine. Georges Pompidou et Willy Brandt, qui assurèrent le pouvoir à peu près en même temps, de 1969 à 1974, n'avaient guère ce qu'on appelle des atomes crochus, mais les structures mises en place en 1963 continuèrent à jouer leur rôle. En France, la nouvelle *Ostpolitik* de la coalition SPD-FDP suscita des inquiétudes : d'un côté, on redoutait qu'une nouvelle orientation vers l'URSS et ses satellites n'éloignât l'Allemagne de son orthodoxie atlantique dont la France elle-même s'était largement écartée, et, de l'autre côté, une telle évolution pouvait limiter les possibilités d'entente avec l'URSS et les pays d'Europe centrale/orientale que l'on tenait en quelque sorte en réserve tout en les rappelant de temps en temps, plus ou moins discrètement, au partenaire allemand. Certes, la reconnaissance réciproque que s'accordèrent dans des formes spécifiques les deux États allemands permit à la France (comme aux autres Occidentaux) de reconnaître à son tour la RDA, mais ce geste ne pouvait rapporter que de maigres avantages alors que la République fédérale obtenait des améliorations limitées mais réelles en faveur de la population est-allemande et l'ouverture progressive de marchés intéressants chez les autres satellites et en URSS même.

Pour mieux équilibrer le poids de l'Allemagne ainsi renforcé sur le plan international et par la croissance continue de son rôle économique et financier, Georges Pompidou se rallia au projet de faire entrer la Grande-Bretagne dans les Communautés européennes que de Gaulle avait bloqué en 1963. Ce fut chose faite en 1973 avec, bien entendu, l'assentiment de l'Allemagne qui n'avait jamais été opposée à cet élargissement (qui entraînait aussi l'entrée de l'Irlande et du Danemark).

Il n'était plus question de se servir de l'Allemagne pour assurer une primauté française en Europe, mais de faire servir le poids anglais pour équilibrer celui de l'Allemagne.

Le septennat de Valéry Giscard d'Estaing coïncida presque entièrement avec les huit années pendant lesquelles Helmut Schmidt fut chancelier fédéral. Le départ de De Gaulle et la mort de Georges Pompidou avaient favorisé ces alignements politico-historiques que l'on retrouvera, à quelques mois près, pour la double présidence de François Mitterrand et la longue permanence de Helmut Kohl à la chancellerie entre 1981-1982 et 1995. Giscard et Schmidt, qui, à certains égards, pouvaient être considérés comme se situant à des antipodes, l'un grand bourgeois d'allure aristocratique formé par l'ENA, et l'autre fils de petits enseignants, jeune officier de l'armée hitlérienne, prisonnier de guerre en Angleterre, fortement marqué par l'influence travailliste, s'entendirent cependant assez bien et firent adopter des réformes non négligeables dans les structures européennes : l'élection directe d'un Parlement, auparavant composé de délégués des parlements nationaux notamment, et l'entrée de la Grèce dans les Communautés qui n'eut pas que des conséquences positives, et – bien entendu aussi – le système monétaire européen.

La période Schmidt-Giscard fut également marquée par les répercussions sur la relation franco-allemande des agissements des terroristes allemands d'extrême gauche, couramment désignés par le sigle RAF. Les attentats et autres actes violents dans lesquels cette petite minorité extrême se lança au cours des années soixante-dix provoquèrent des réactions de défense de l'État dont les fondements démocratiques étaient niés par les extrémistes, et ces mesures législatives et administratives renforcèrent les terroristes dans leur détermination. En France, ils suscitèrent un intérêt et de la sympathie bien au-delà des milieux trotskistes et maoïstes, chez beaucoup d'intellectuels de gauche notamment, qui accueillaient avec une écoute attentive les accusations lancées contre les tendances néofascistes dominant de plus en plus clairement, selon les extrémistes, les structures et les décisions en République fédérale. Dans de vastes milieux de gauche en France, l'Allemagne de Willy Brandt, émigré de 1933 et antinazi militant, apparaissait en voie de re-nazification.

La visite ostentatoire que Jean-Paul Sartre fit aux dirigeants de la RAF les plus connus, détenus à la prison de Stammheim près de Stuttgart, fut le geste le plus représentatif dans lequel s'exprima cette étrange sympathie avec un groupe de desperados dont certains éléments étaient, par ailleurs, étroitement liés à des mouvements arabes. Le suicide des prisonniers de Stammheim fut, par certains de ces sympathisants français, présenté comme un assassinat. Bien qu'il se soit agi là de minorités peu nombreuses, leur influence sur l'opinion de gauche socialiste ou socio-chrétienne ne pouvait passer pour négligeable. Aux restes d'un « antigermanisme » de droite s'ajoutait ainsi une aversion profonde d'une gauche radicale pour qui les progrès d'un néofascisme ouest-allemand étaient l'accompagnement nécessaire des succès insolents du capitalisme allemand. Le patron des patrons allemands, Hans-Martin Schleyer, assassiné par la RAF, n'avait-il pas, vêtu de l'uniforme SS, joué un certain rôle dans les pays tchèques pendant leur occupation par l'Allemagne hitlérienne ? Et l'Allemagne des chanceliers sociaux-démocrates (l'éternelle trahison des « socialistes de droite », des *mencheviks*) n'était-elle pas le bras prolongé, l'instrument privilégié des États-Unis dans le monde ?

Au début de la double commande Schmidt-Giscard se situe aussi la conclusion de la conférence d'Helsinki qui, d'une part, entérinait et confirmait le *statu quo* européen tel qu'il résultait des accords de 1944-1945 avec, en plus, la mainmise politique de l'URSS sur les pays et les peuples qu'on lui avait abandonnés, mais qui, d'autre part, à travers la « 3ᵉ Corbeille », ouvrait des possibilités de défense des droits de l'homme dans ces pays, puisque l'URSS avait signé l'ensemble. Officiellement, ni la France ni l'Allemagne n'exploitèrent ces ouvertures, mais peu à peu des initiatives privées purent se développer pour venir en aide à ceux qui, dans les pays satellisés et en URSS même, se mobilisaient au service des droits fondamentaux. Des comités d'observation de l'application des accords d'Helsinki se fondèrent dans les deux pays (le centre du mouvement se situant toutefois en Autriche), et ces comités purent bénéficier d'une certaine aide financière et diplomatique des gouvernements, notamment ceux de Paris et de Bonn.

Quand l'émotion suscitée en France par ces nouvelles aventures de l'extrême gauche allemande (dont on sut beaucoup plus tard les liens complexes et réels avec l'État communiste est-allemand) se fut calmée, on commença, en Allemagne fédérale, dans les milieux politiques et dans les médias, à s'émouvoir d'une éventuelle victoire de la nouvelle coalition de gauche formée en France autour de François Mitterrand avec la participation massive du parti communiste. L'Allemagne n'était pas redevenue fasciste, mais la France n'allait-elle pas connaître une situation pareille à celle des premières années de la IVe République où – après le départ de De Gaulle – le PC avait joué un rôle considérable dans les gouvernements et, de ce fait, dans les choix en matière de défense et de politique extérieure ? Je me souviens d'un entretien que j'eus avec le chancelier Schmidt à Washington, quelque temps après l'élection de François Mitterrand, et des inquiétudes que formula à cette occasion le chef du gouvernement fédéral.

Les soucis devaient s'avérer infondés ; le parti communiste n'eut guère de poids dans les décisions en politique extérieure, et notamment européenne, du gouvernement Mauroy agissant sous l'impulsion directe du Président. On doit cependant souligner dans ce contexte :

– premièrement, qu'un chancelier social-démocrate ayant entretenu d'excellentes relations avec un Président conservateur, manifeste de l'inquiétude devant la perspective d'une politique que mènerait en France un Président élu par l'ensemble de la gauche, communistes compris ;

– et, deuxièmement, que la politique intérieure et les personnalités dirigeantes des deux pays prennent une importance qui s'accroît rapidement dans les relations franco-allemandes, lesquelles, en fait, relèvent de moins en moins exclusivement de la politique extérieure. Une lente interpénétration transforme progressivement la nature de ces relations, mais ce processus est encore loin de son achèvement au moment où s'écrivent ces lignes (début janvier 1998).

Le stationnement éventuel, sur le sol allemand, des nouvelles armes atomiques stratégiques américaines, développées en réponse à la décision soviétique de doter les forces de l'URSS d'engins de ce genre, souleva de véhémentes émotions en République fédérale, qui, ranimant des mouvements pacifistes qui se donnaient des structures de parti, abandonnaient pour la grande majorité les anciennes positions radicales. Le nouveau parti « Vert » allait devenir de ce fait un facteur important de la vie politique allemande ; bien que très inférieurs en sièges parlementaires et en voix, les Verts français sont cependant arrivés au gouvernement avant leurs camarades allemands. Quand les Libéraux abandonnèrent en 1982 le chancelier Schmidt – de plus en plus isolé dans son propre parti – le problème du « stationnement » était l'un des plus brûlants auxquels le nouveau chancelier Helmut Kohl devait s'attaquer. L'intervention, d'une vigueur et d'une clarté sans exemple, par laquelle François Mitterrand prit fait et cause devant le Bundestag, au début de 1983, en faveur de la mise en place des fusées américaines (sans toutefois les accueillir en France – mais n'avions-nous pas nos propres armes nucléaires ?) eut un effet déterminant et contribua à la victoire que le chancelier Kohl devait emporter au printemps, après avoir obtenu la dissolution de l'Assemblée du Bundestag. Là encore, le rôle d'un responsable français dans une importante décision allemande est à la fois un signe des progrès de l'intégration et de ses lenteurs, puisque ce geste fit sensation et reçut d'ailleurs de vives critiques de la part des adversaires allemands du stationnement des nouvelles armes américaines.

L'option du président Mitterrand et de ses gouvernements pour une politique anti-inflationniste et pour la stabilité d'un « franc fort » facilita les progrès que l'unification européenne connut dans les années 1980, notamment avec le traité de 1986 créant le Grand Marché intérieur. Pour les socialistes français, ce fut un choix difficile et nécessaire ; il entraîna le départ des ministres communistes dont l'aversion fondamentale à l'égard de la République fédérale avait alourdi la démarche de la politique extérieure française qui, face aux mouvements commençant alors à se dessiner chez les « satellites » et, en premier lieu, en Pologne, resta cependant très distante. En Allemagne, un mouvement de solidarité avec la Pologne étonna les observateurs qui croyaient à l'existence d'un profond ressentiment très répandu à l'égard des Polonais. Pour ce qui est de la politique monétaire et des conséquences qu'elle produit dans tous les domaines de l'économique, la preuve fut faite dans ces années que des divergences fondamentales entre les politiques des deux pays ne sont d'ores et déjà plus tolérables dans ce secteur essentiel. Le problème a reçu une actualité nouvelle avec le retour au pouvoir des socialistes français au printemps de 1997.

La nomination d'un des membres les plus en vue du gouvernement français et dont le rôle avait été décisif dans les choix de politique économique et monétaire qui viennent d'être mentionnés à la tête de la Commission des Communautés européennes où il devait demeurer dix ans confirma les responsables allemands et l'ensemble de l'opinion publique dans la conviction qu'on pouvait désormais faire confiance aux dispositions européennes de François Mitterrand et de ses principaux collaborateurs. Les relations entre le président de la Commission et la chancellerie de Bonn furent particulièrement étroites pendant cette décennie où se placent les décisions de Fontainebleau, de Milan et de Luxembourg qui aboutirent au traité sur le Grand Marché intérieur déjà mentionné. Cette configuration dans l'ensemble très positive fut brusquement assombrie par la crise de 1989-1990, tout à fait imprévue et imprévisible puisque l'unité allemande, même aux yeux de ceux qui la savaient nécessaire ou inéluctable, ne s'inscrivait dans aucun calendrier prévisible. Même les experts les plus avertis furent surpris par la soudaineté et la véhémence des événements.

Les discours et les écrits de François Mitterrand, et tout particulièrement ceux publiés après sa disparition, témoignent d'une profonde contradiction dans les sentiments et les opinions que le Président français nourrissait à l'égard de l'Allemagne. Ces dispositions correspondaient en profondeur aux passés de ce conservateur provincial de formation catholique, qui s'était retrouvé prisonnier en Allemagne, s'était évadé, et, après s'être consacré à ceux qui étaient restés prisonniers en Allemagne, était entré dans la Résistance. Il accéda, jeune encore, à de hautes fonctions gouvernementales sous la IVe République et devint, sous la Ve, le chef vite incontestable d'un parti socialiste rénové et d'une alliance de gauche beaucoup plus plurielle en profondeur que celle de 1997. L'Allemagne l'intéressait, le préoccupait, l'inquiétait.

Dans ces dispositions d'esprit, le Président français ne pouvait pas ne pas être frappé profondément par le brutal changement de la situation d'une Allemagne que l'on s'était habitué à voir figée dans sa division depuis plus de quarante ans, comme par le brusque affaiblissement de l'Union soviétique, alors que l'équilibre stabilisé entre les deux « Supergrands » fournissait le cadre à l'intérieur duquel la politique de la France avait pu maintenir au moins l'apparence d'une situation de grande puissance. La division de l'Allemagne avait laissé s'établir une sorte d'égalité entre les deux principaux partenaires européens : la France, même après la perte de l'Indochine et de l'Algérie, restait activement présente sur plusieurs continents, d'une présence non seulement économique et politique, mais militaire ; elle possédait son siège permanent au Conseil de sécurité des Nations unies ; elle cultivait des relations réciproquement intéressantes avec l'URSS, alors que Bonn, là encore, était partiellement paralysée par le souci d'améliorer le sort des Allemands de l'Est sans inquiéter les États-Unis. L'Allemagne et la France avaient des populations qui s'équilibraient, et la supériorité économique de la République fédérale était compensée par ses limitations diplomatiques et militaires. Tout cet ordonnancement, sur lequel les relations franco-allemandes avaient pu s'établir avec les heureux résultats présentés dans les pages qui précèdent, allait s'écrouler subitement, en l'espace de quelques mois, voire de quelques semaines. Devant les émigrations massives et les grandes manifestations – « nous sommes le peuple, nous sommes un peuple » – l'État communiste institué sur le territoire allemand s'effondra, et le chancelier Kohl dut improviser un programme pour aboutir plus ou moins rapidement à la réunification des deux États que l'Histoire avait créés séparément en 1949. On s'aperçoit alors qu'en dépit d'innombrables spéculations rien n'avait été sérieusement préparé pour l'éventualité qui se précipite.

François Mitterrand accueille très mal les dix points que M. Kohl présente à l'improviste lors de la réunion des chefs d'État et de gouvernement de la Communauté qui se tient à Strasbourg. Il se sent pris de court, mais M. Genscher, lui-même, tout ministre des Affaires étrangères et vice-chancelier qu'il est, n'avait pas été prévenu. Face au bouleversement qui se déclenche en RDA, la France veut connaître les réactions de l'URSS, coauteur et garante de l'ordre établi en Europe après 1945 et confirmé à Helsinki en 1975. L'entretien avec M. Gorbatchev à Kiev, le 6 décembre, est décevant. L'URSS n'est pas en état de s'opposer aux mouvements qui se déclenchent partout en Europe centrale et orientale.

On comprend difficilement comment, dans ces conditions, le président de la République ait pu décider de donner suite, vers la fin du mois de décembre, à l'invitation que lui avait adressée, bien avant les événements qui se succèdent depuis l'automne, le président du Conseil d'État de la RDA qui remplit les fonctions de chef d'État. Étrange, ce voyage était gênant pour le chancelier qui, en même temps, était amené à participer aux grandes manifestations qui se déroulaient dans les principales villes de ce pays qui ne voulait plus continuer à exister en tant que tel.

Sans doute François Mitterrand et ceux qui l'infor-
mèrent croyaient-ils à la possibilité de voir un État
socialiste allemand, débarrassé des scories totalitaires
communistes, subsister tout en faisant partie d'une
Confédération avec la république de Bonn. Parmi les
nouveaux responsables que les événements portaient
au pinacle dans ce qui avait été, jusqu'alors, l'État
communiste sur le territoire allemand, certains pour-
suivaient sans doute les mêmes rêves, mais ils furent
rattrapés très vite par l'immense mouvement de ceux
qui voulaient l'unité tout de suite, en imaginant
qu'ils deviendraient ainsi copartageants des produits
du « miracle économique ».

Les dirigeants français et nos médias crurent,
ensuite, dans leur très grande majorité, au succès de
la gauche, c'est-à-dire essentiellement de la social-
démocratie aux élections pour la « Chambre du
peuple » que le pouvoir, désormais provisoire en
RDA, avait dû avancer au 18 mars. La victoire de la
CDU et de ses alliés fut une grosse surprise pour une
grande partie de l'opinion française qui obligea le
président de la République à reconnaître une réalité
qu'il n'avait su ou voulu prévoir. Dès lors, la France
s'appliqua essentiellement à obtenir des garanties de
sécurité pour la Pologne et à aménager l'abandon
des droits que les Alliés, France bien entendu
comprise, avaient réservés depuis 1955 pour tout ce
qui concernait « l'Allemagne en tant que tout », à
travers les traités qui s'étaient succédé depuis cette
date, et aussi le statut de Berlin-Ouest qui ne devait
pas jusqu'alors faire partie de la République fédérale.

Les négociations auxquelles, à certains moments, la Pologne fut associée réglèrent ces héritages d'un passé subitement aboli, l'appui du président Bush et les concessions que M. Gorbatchev n'avait plus les moyens de refuser (notamment en ce qui concerne l'entrée de l'ex-Allemagne de l'Est dans le système de l'OTAN) repoussèrent au second plan la contribution de la France. Cependant, très vite après les élections du 18 mars, François Mitterrand s'unit à Helmut Kohl pour proposer à la Communauté européenne d'accomplir un nouveau pas en avant important, sur le plan monétaire, mais aussi en matière de défense et de politique extérieure. La lettre envoyée par Mitterrand et Kohl au président irlandais en exercice du Conseil des chefs d'État et de gouvernement devait déclencher le mouvement qui, deux ans plus tard, allait conduire au traité de Maastricht. Celui-ci fut donc indirectement le fruit, ô combien positif, de la crise franco-allemande de l'automne 1989 et de l'hiver 1989-1990.

À peine l'unité allemande réalisée (dans les textes – car, dans les modes de vie, les pensées et les cœurs, sept ans plus tard, beaucoup de différences et de ressentiments subsistent), la France et l'Allemagne ont été affrontées à la crise du Golfe. Tout en se démarquant autant que possible de l'Amérique, la France s'est alors tout de même engagée à ses côtés, moins massivement que l'Angleterre, mais avec des moyens point négligeables. Il n'était pas question, pour l'Allemagne, d'envoyer des troupes au Koweït, même si elle n'avait pas été absorbée, largement, par

la réalisation de l'unification, car l'opinion allemande n'était pas préparée à participer à des opérations militaires en dehors des territoires couverts
par l'OTAN, même si elles étaient mises en œuvre
en exécution de décisions des Nations unies. L'Allemagne, comme base d'opération et comme étape,
notamment sur le plan sanitaire, rendit cependant
des services considérables aux forces américaines. Il
n'en reste pas moins que, dans certains secteurs des
deux opinions, le comportement de l'autre pays suscita des critiques.

Au moment où l'élaboration du traité de Maastricht était entrée dans sa sphère ultime, des divergences très nettes opposèrent les responsables français et allemands à propos des affaires yougoslaves
qui, depuis 1992, n'ont jamais cessé de créer des problèmes à de multiples niveaux. En gros, il y avait, et
il y a toujours en France, et notamment dans les
milieux militaires, de vieilles sympathies pour la Ser-
bie qui avait été du côté des Alliés occidentaux pendant la Première Guerre mondiale et qui vit se développer pendant la Seconde une résistance à la fois
antiallemande et anticommuniste. Le comportement
des militaires et des diplomates français dans les
affaires yougoslaves fit souvent apparaître ces tendances. L'Allemagne, pour sa part, et surtout l'Autriche nourrissaient le souvenir des liens historiques
et des fraternités d'armes avec la Slovénie et avec la
Croatie (malgré le poids des haines entre Autrichiens
et Slovènes, en Carinthie et en Carniole, qui remon-
taient elles aussi au moins au XIXe siècle). On peut

penser qu'il y a eu défaut de coordination entre la chancellerie et la présidence ; toujours est-il que Paris prit très mal la reconnaissance anticipée de la Slovénie et de la Croatie en tant qu'États indépendants, quelques semaines avant la date qui avait, en principe, été retenue par tous les États membres de la Communauté pour une reconnaissance générale des États successeurs de l'ancienne Yougoslavie. À Bonn, certains mirent en parallèle l'attitude allemande vis-à-vis de la Slovénie et de la Croatie et l'attitude française bloquant la participation allemande à une opération de contrôle des armements atomiques soviétiques, dont on pouvait redouter que leur sécurité ne fût mal assurée ou que des irresponsables ne favorisent la dispersion. Évidemment, l'Allemagne n'était pas une puissance nucléaire... Ces divergences de vue et d'attitude indiquaient que l'entente franco-allemande ne fonctionnait toujours pas d'une manière assez intime et assez quotidienne.

L'attitude de l'opinion allemande au sujet de la participation à des opérations militaires menées au service de l'ordre international a considérablement évolué depuis 1990. La présence d'éléments armés allemands en Somalie a été acceptée assez largement, dans la mesure où il s'agissait de fournir une aide matérielle à des interventions humanitaires. Pour la Bosnie, la présence d'éléments allemands, notamment dans des opérations aériennes, a bénéficié d'un accord très large, y compris dans d'importants secteurs des Verts. Que les différences d'opinion et d'option s'effacent peu à peu sur ce plan entre la

France et l'Allemagne ne peut que contribuer à rendre l'entente plus profonde et plus efficace pour tout ce qui concerne la sécurité commune.

La décision de François Mitterrand de soumettre à référendum le traité de Maastricht a étonné beaucoup de militants de la construction européenne et gêné beaucoup de ceux qui œuvrent pour l'entente franco-allemande. Elle a permis aux adversaires de ces deux objectifs, si étroitement imbriqués, de lancer une campagne qui fut fortement marquée d'accents nationalistes et antiallemands, et facilitée par la distribution du texte intégral du Traité à tous les électeurs, sans commentaires ni explications, alors que ce texte est difficilement accessible aux non-spécialistes, même s'ils ont l'habitude de suivre les grandes affaires internationales. Depuis 1992, les agitations antieuropéennes, le plus souvent avec emploi d'arguments tirés de la prédominance allemande dans et sur l'Europe unie, n'ont cessé de se développer, créant un climat qui rappelle celui du débat pour ou contre la CED entre 1952 et 1954. Cette agitation, qui, avec des formes différentes, a dans une certaine mesure son pendant en Allemagne, peut prendre un nouveau développement fort dangereux si les dirigeants actuels de la France décidaient de soumettre à référendum le traité d'Amsterdam. On devrait d'autant plus s'inquiéter devant une telle perspective que le résultat positif du référendum de 1992 a été obtenu de justesse et en partie grâce aux départements d'outre-mer dont l'intérêt pour l'unification européenne ne peut être qu'indirect.

La mise en œuvre de « Maastricht » a été la grande affaire des années 1992-1998 ; elle n'a pas cessé de l'être. Cependant, dans les deux pays, l'évolution de la situation économique et sociale transforme très rapidement l'ambiance dans laquelle se posent les problèmes liés à l'unification européenne. Dans les deux pays, le chômage est devenu une préoccupation de plus en plus lancinante, alors que les profits du capital des sociétés et les gains des spéculations boursières connaissaient des progrès considérables. Les conséquences de ce que les uns appellent la « mondialisation » et les autres *Die Globalisierung* se font sentir de plus en plus lourdement dans la vie quotidienne de la grande majorité des Allemands et surtout des Français ; la peur des lendemains, les incertitudes, les angoisses, progressent même chez ceux que le chômage et la déconfiture n'ont pas encore atteints. En même temps, démultipliés par les médias, les progrès de l'insécurité se font sentir de plus en plus durement, la criminalité lourde et la délinquance « légère » assiègent la vie quotidienne dans des lieux de plus en plus nombreux et divers. De ces développements inquiétants, une masse croissante rend responsable l'impéritie des gouvernants, l'égoïsme des possédants, la mauvaise éducation des jeunes et surtout l'immigration, les jeunes des milieux immigrés souffrant davantage du déracinement alors que l'intégration se fait plus difficile. Les noms allogènes des auteurs de délits quasi quotidiens entretiennent un racisme ambiant que développe systématiquement la propagande d'extrême droite qui, bien sûr, rend l'Europe autant que les « Arabes » responsables des malheurs populaires. Les fonctionnaires étrangers et lointains de Bruxelles sont la cible préférée, avec les immigrés, des discours et des écrits d'un parti qui se dit celui des chômeurs. Comme cible de la propagande néofasciste, les apatrides de Bruxelles et les Arabes, qui se nourrissent grassement de « nos » prestations sociales, ont partiellement remplacé le Juif – et les Allemands – sans qu'on puisse en tirer avantage pour l'entente franco-allemande. On doit au contraire constater que les responsables politiques de la droite, du centre et des gauches n'ont pas encore trouvé un langage qui puisse combattre l'action de l'extrême droite auprès des couches qui se sentent abandonnées ou exclues. Souvent, il s'agit là de gens qui, naguère, eux ou leurs parents, votaient communiste. La méfiance envers « Bruxelles », suscitée par le PC, continue de fleurir sous l'impulsion du FN...

Des phénomènes analogues s'observent en Allemagne, mais pour le moment avec une envergure moindre – le poids montant d'un parti politique extrémiste ne s'y fait pas sentir. Cependant, à l'Est, la désespérance et la fureur s'expriment gravement : la *moitié* des femmes qui avaient un emploi en 1989 sont aujourd'hui en chômage prolongé. Si la France ne joue guère de rôle dans la propagande antieuropéenne – sinon dans l'affirmation que l'Euro profitera surtout aux pays à monnaie moins sûre que le deutsche Mark –, l'Est ignore très largement la France et ne s'y intéresse guère. Ses attentions se dirigent vers la Pologne, la République tchèque, la Russie même. Dans ce sens, l'unité allemande n'a pas fait progresser l'entente de nos deux pays. Les responsables français doivent en tirer comme conséquence de développer un effort systématique économique et culturel dans les « Nouveaux Länder ». Un tel programme, à ce jour, n'a pas été élaboré et – encore moins, bien sûr – réalisé.

Dans la suite de Maastricht, deux grandes voies se sont ouvertes à la progression de la construction européenne qui, soit dit une fois de plus, présuppose une efficace entente franco-allemande : d'une part, il fallait établir et suivre le calendrier de la réalisation de l'Union monétaire qui constitue l'aspect central et le plus spectaculaire de l'œuvre maastrichtienne. Et, d'autre part, à travers l'institution d'une Conférence intergouvernementale – analogue à certains égards à celle qui avait préparé « Maastricht » –, c'est tout l'immense labeur de l'approfondissement qui devait être entrepris – de la politique extérieure commune à la mise en commun des grands aspects du « Troisième pilier », lutte contre la criminalité, immigration, intégration. La montée du chômage allait rendre incontournable la mise en œuvre d'une « Europe sociale » dont l'ébauche se trouvait aussi dans Maastricht. Toutefois, l'application des stipulations du Traité fut marquée, notamment pour ce qui concerne la relation franco-allemande, par l'élection présidentielle française, le remplacement de François Mitterrand, au bout de quatorze ans, par un Jacques Chirac qui – deux fois Premier ministre – connaissait certes à fond les affaires, mais qui les abordait et les suivait dans un horizon personnel très différent. Le scrutin avait confirmé l'importance grandissante des extrêmes droites nationalistes, hostiles à tout abandon de souveraineté ; par ailleurs, la situation sociale ne cessait de s'aggraver, malgré les bonnes intentions que le nouveau chef d'État avait manifestées pendant la campagne. Les travaux de la Conférence intergouvernementale souffrirent du manque de perspectives communes et de coordination chez les représentants de la France et de l'Allemagne qui, de ce fait, ne purent guère faire bouger l'ensemble, la Grande-Bretagne freinant partout et les « tiers » redoutant d'une façon continue qu'une entente franco-allemande ne se fît au détriment des positions que les textes antérieurs leur avaient assurées. En fin de compte, le traité d'Amsterdam où la négociation se fit sur la base des travaux de la Conférence intergouvernementale, ne procure guère de progrès sur la voie d'une politique extérieure commune qui n'est pas concevable sans l'existence d'un véritable gouvernement fédéral européen, ni pour la fusion de l'UEO (Union de l'Europe occidentale) avec l'Union européenne, déjà décidée en principe à Maastricht, mais bloquée par les craintes nationales et par le peu de goût que les Américains montrent pour la mise sur pied d'une véritable politique européenne de défense (cette réserve entraînant dans une large mesure celle du gouvernement allemand). Là où des progrès paraissaient concevables – en ce qui concernait notamment les modalités de prise de décision au Conseil des ministres –, les résultats furent particulièrement décevants, chacun craignant les conséquences négatives d'un abandon du droit de veto dans un domaine auquel il était particulièrement attaché. Ce fut remarqué tout spécialement quand l'Allemagne, à Amsterdam, s'en tint au vote à l'unanimité pour des affaires du « Troisième pilier » ayant trait à l'immigration, où sa position avait été antérieurement plus ouverte. Du côté français, la majorité qui avait élu M. Chirac était directement exposée aux pressions de l'extrême droite nationaliste, et quand, à la surprise générale, la gauche « plurielle » l'emporta aux élections décidées imprudemment par le Président, le nouveau Premier ministre et ses compagnons socialistes – obligés d'aller à Amsterdam presque à l'improviste – durent tenir compte des positions antifédéralistes des communistes et du parti de M. Chevènement (qui avait précisément quitté le PS quelques années auparavant pour marquer son opposition à la politique européenne). Tout progrès vers une Europe plus fédérale se trouve, aujourd'hui en France, bloqué par la dépendance électorale des partis de la droite classique envers l'électorat du Front national et les manœuvres des dirigeants de celui-ci, et par le freinage des antieuropéens fortement représentés dans le gouvernement de la « gauche plurielle ». Cette situation risque de se prolonger longtemps si des événements extérieurs ne

viennent pas bousculer les réticences et les résistances qui s'opposent à des progrès réels vers un
fédéralisme politique. On peut cependant estimer
que l'élargissement, dont la procédure va commencer en fonction des décisions prises à Maastricht et à
Amsterdam, exercera une certaine pression en faveur
des transferts de souveraineté. Les nouveaux
membres ont certes une forte sensibilité nationale et
même nationaliste, mais ils éprouvent en même
temps la nécessité d'une cohérence européenne face
à la Russie, certes, mais aussi face aux « Grands »
européens, et notamment l'Allemagne.

Alors que l'Euro ne suscite pas, en France, une
véritable angoisse spécifique – les craintes et aversions
françaises se dirigeant sur l'ensemble des projets européens dans tous les domaines où ils entraînent un
dépassement de la souveraineté nationale –, la monnaie européenne est devenue, en Allemagne, un véritable abcès de fixation des attitudes négatives envers
l'Europe. Les raisons de ce complexe sont bien
connues : l'attachement de l'immense majorité des
Allemands d'aujourd'hui à la monnaie qui, depuis
1948, a symbolisé le formidable progrès d'une économie et du bien-être qui n'ont commencé à
connaître des épreuves graves que depuis peu d'années. Pour la grande masse des Allemands d'aujourd'hui, le deutsche Mark a conjuré le souvenir des
inflations et des autres catastrophiques conséquences
des guerres, et si, à présent, dans les changements
dus à la mondialisation, de nouvelles épreuves s'abat-

tent sur un nombre grandissant de familles allemandes (sans parler des conséquences de la réunification, à l'Est), l'opinion dans ses craintes incrimine
à la fois le gouvernement fédéral et le pouvoir européen, cette lointaine Commission qui, à Bruxelles,
veut tout régenter. En Allemagne, les raisons et les
aversions suscitées par les instances européennes se
greffent sur le phénomène du pouvoir régional, des
gouvernements et parlements des Länder, qui défendent leurs prérogatives et leurs pouvoirs. On voit en
France comme en Allemagne se développer de fortes
hostilités antieuropéennes, mais à partir de positions
et dans des directions très différentes. On est obligé
parallèlement de constater que les pouvoirs français
et allemand n'ont pas été, jusqu'à présent, en mesure
de leur opposer une vision politique commune et
une vigoureuse offensive montrant aux masses à quel
point Français et Allemands ont également besoin de
l'Europe.

Au point où en sont arrivées les relations franco-
allemandes cinquante-trois ans après la fin de la
guerre, de grandes résolutions doivent être prises si
l'on veut éviter que ne se défasse l'ensemble des
résultats déjà obtenus : ce n'est qu'à cette condition
que l'on pourra poursuivre une voie qui doit permettre aux Français et aux Allemands de continuer
à mener ensemble une vie indépendante, une vie de
peuples associés par une œuvre d'autoaffirmation,
sans tomber dans la soumission ou dans l'insigni-
fiance.

Une mutation dans l'organisation de l'entente-coopération franco-allemande est devenue d'autant plus nécessaire que l'on voit chacun des pays s'engager de plus en plus fréquemment dans des projets et prendre des décisions qui, directement ou indirectement, affectent les intérêts et les avenirs de l'autre. On peut citer ici, à titre d'exemple, la décision française d'abandon du service militaire obligatoire qui n'a pas été préparée en coréflexion ou en coopération avec l'Allemagne, alors que les mutations militaires et sociales qu'elle implique ont et auront de plus en plus de répercussions sur l'Allemagne, avec laquelle nous avions entrepris la construction d'une préfiguration d'une armée européenne, l'Eurocorps. Inversement, les positions prises d'une façon assez abrupte par l'Allemagne en ce qui concerne le maintien de la règle de l'unanimité en matière d'immigration au Conseil des ministres, procèdent en grande partie d'une politique à l'égard de la Turquie que le gouvernement français ne suit qu'en traînant les pieds. On peut citer bien d'autres exemples en matière économique, sociale et culturelle qui, tous, indiquent la nécessité de doter l'entente franco-allemande d'un instrument commun, d'un secrétariat général qui aurait vocation à être saisi *obligatoirement* pour avis de tous les projets importants des deux gouvernements. Ceux-ci, l'avis recueilli et, quand ce sera possible, rendu public, pourraient éventuellement passer outre en donnant leurs raisons. Cela vaut, bien sûr, pour l'immigration, où l'on ne s'est pas assez étonné de voir le parlement français saisi récemment d'un projet de législation nationale, alors que la suppression des frontières intérieures rend indispensable dans ce domaine une politique commune des pays de l'Union européenne et, en premier lieu, de l'Allemagne et de la France. Mais il ne servira à rien de nous doter d'un nouvel instrument si l'on n'est pas déterminé à l'utiliser. Le Conseil franco-allemand de défense, créé en 1988 à l'occasion du vingt-cinquième anniversaire du traité de l'Élysée, n'a même pas été consulté quand la France a décidé d'abandonner le service militaire obligatoire...

Pour finir ces réflexions trop rapides et, par là, un peu trop systématiques, quelques mots sur l'aspect culturel des relations franco-allemandes. Point n'est besoin d'évoquer ici la longue histoire de ces fécondations réciproques, depuis le haut Moyen Âge jusqu'aux intellectuels émigrés antihitlériens qui, souvent, reçurent en France un accueil décevant, et jusqu'aux efforts si variés et si efficaces de l'administration culturelle française en Allemagne après 1945. Le traité de 1963, en instituant l'Office franco-allemand pour la jeunesse, a donné une ampleur jusqu'alors sans exemple à ces efforts, tout au moins de la part de gouvernements démocratiques. Il est vrai que, peu à peu, l'effort financier s'est ralenti, essentiellement, d'ailleurs, sur initiative du partenaire français, et les récents accords de Weimar (septembre 1997), même s'ils étaient suivis d'effets, ne font que geler la situation actuelle, après les diminutions précédentes. En même temps, si les Instituts français poursuivent des activités nombreuses et utiles, de même que leurs homologues en France, les Instituts Goethe, le nombre de ces établissements diminue depuis quelque temps, comme l'atteste la fermeture particulièrement malencontreuse de l'Institut Goethe de Marseille, au lendemain des accords de Weimar. Mais les moyens diminuent, et il faut ouvrir de nouveaux établissements en Europe de l'Est ou en Asie centrale.

Un précédent « Sommet culturel » avait, à Francfort, au lendemain de la célébration du vingt-cinquième anniversaire du Traité, lancé toute une série d'initiatives intéressantes telles que le Conseil culturel franco-allemand et le Collège franco-allemand de l'enseignement supérieur qui a pu patronner de nombreux accords entre établissements franco-allemands instituant un enseignement commun et des diplômes communs. Mais ces heureuses initiatives n'ont pu empêcher la diminution continue de l'importance de l'enseignement de la langue du partenaire. En France, de plus de 30 %, la place de l'allemand première langue choisie en sixième a reculé, au cours des cinquante années de l'après-guerre, à moins de 10 %, et le rôle du français première langue en Allemagne est dérisoire, sauf dans les Länder limitrophes. On ne peut certes lutter contre la place de l'anglais et on aurait tort de vouloir le faire, face à une nouvelle langue commune remplissant les mêmes fonctions que le latin au Moyen Âge, mais une réflexion commune, notamment sur le dévelop-

pement des deuxièmes langues et l'enseignement
des langues aux adultes, n'a pas résulté de la rencontre de Weimar. Plus encore qu'un collège, voire
une université virtuelle (?) franco-allemande, l'action
culturelle a besoin d'un organe permanent pour le
développement et les contenus de ces enseignements
qui devraient être placés dans une vision de formation continue. Le « sommet » de Weimar, comme
celui de Francfort (il s'était quand même passé pratiquement une décennie entre les deux, ce qui ne
montre pas un sentiment passionné d'une urgence
chez les responsables), a produit une grande quantité de projets, mais sans pourvoir aux moyens financiers qui, en période de restrictions, sont de plus en
plus « mesurés », en sorte qu'on en vient à supprimer
l'aide à des expériences éprouvées pour en lancer de
nouvelles. Là encore, ce qui manque le plus est une
structure permanente qui suivrait, évaluerait et modi-
fierait les entreprises et les expériences tout en enre-
gistrant les vides que l'on a laissés ou qui se forment
continuellement.

En guise de conclusion, nous dirons que le traité
de 1963 s'est avéré capable de produire en continuité
des réponses aux questions anciennes ou nouvelles
qui se posent aux deux partenaires, sans toutefois
dépasser réellement le niveau des rapports intensifs,
mais de nature traditionnelle qui peuvent exister,
entre deux États différents, amis certes mais qui
restent séparés. Pour leur relation et pour leur participation commune à la construction d'une Europe

capable de fonctionner sur un même plan avec les États-Unis, la Russie, la Chine, ce qui a été accompli depuis 1945 et depuis 1963 est essentiel mais insuffisant. Il en sera toujours ainsi tant que les deux États n'auront pas décidé de changer la nature même de leurs rapports pour unifier leurs décisions au niveau gouvernemental. La construction de l'union franco-allemande et celle de l'Union européenne, chacune ayant ses caractéristiques propres, doivent avancer de concert.

Entre l'Europe et la nation

LA NATION ET L'EUROPE : LE DÉBAT ALLEMAND

par le Dr Donate Kluxen-Pyta

Le célèbre auteur Arnulf Baring a relancé le débat sur l'Union européenne, et en particulier sur l'union monétaire, par un ouvrage intitulé *Scheitert Deutschland ?* («L'Allemagne va-t-elle échouer ?»). «Quiconque veut vraiment l'Europe doit espérer que l'union monétaire ne se fasse pas maintenant», déclare-t-il en termes tranchés. «Les hommes politiques savent, selon Baring, que la population est depuis longtemps opposée à l'Euro, à une forte majorité. Mais ils savent également qu'elle est tout aussi persuadée de l'avènement de l'Euro. Et, confortés par cette double certitude des sondages, ils décident de mettre en route insidieusement l'Euro, sans demander l'avis des Allemands. Les hommes politiques considèrent donc que la résignation de l'opinion publique, son manque de combativité face à l'Euro sont le début de son approbation [1]. »

Quoi que l'on pense de ces déclarations – très contestables –, une chose est sûre : il n'y a pratiquement pas eu, à ce jour, en Allemagne, de véritable débat ouvert sur l'Europe, qui mobilise l'opinion publique et les médias. D'une manière générale, l'Europe est un sujet qui ne déclenche qu'un intérêt réduit, la question des institutions européennes, quand on s'y attarde, devient vite ennuyeuse, et les problèmes de l'élargissement et de l'approfondissement ne passionnent pas plus les citoyens ordinaires que les intellectuels. Que doit être l'Europe ? Quelle forme concrète doit-elle prendre ? Autant de questions qui suscitent en outre plus d'incertitude que d'espoir pour l'Europe.

D'un autre côté, les Allemands adhèrent massivement à l'idée de l'unification européenne, et, sur ce point, le consensus est très large tant parmi l'opinion publique qu'entre les différents camps politiques. C'est pourquoi l'Europe n'est pas le grand sujet de divergence sur lequel s'échauffent les esprits. Les visions prospectives d'une Europe unie et de sa forme politique concrète sont totalement absentes du débat. Est-on tout simplement ouvert à ce que nous réservera l'avenir ? Ou bien fait-on confiance au « cheval de trait européen » qu'est Helmut Kohl ? N'est-ce pas le reflet d'une résignation générale face à un monde si difficile à comprendre en cette fin de XXe siècle ?

Malgré toute la bienveillance vague dont semble bénéficier l'unification européenne, on peut se demander jusqu'à quel point l'« Europe » peut se concrétiser par-delà la rhétorique. Les paroles incantatoires sont répétées en permanence, mais ne sont ni comprises ni expliquées. Pourtant, la politique européenne a des effets qui concernent tous les citoyens. Mais la voie sur laquelle il convient de s'engager reste étrangement floue : cette absence d'objectifs clairs – et de débat dans l'opinion – est surprenante pour un processus d'une telle portée historique. Cependant, un débat pourrait contribuer à faire émerger une prise de conscience citoyenne de l'Europe, qui est nécessaire pour approfondir la communauté des Européens. Mais on s'en tient à l'imprécision rhétorique, à l'évocation des contraintes économiques ou aux questions de procédures technocratiques, qui font l'image qu'a l'Allemagne des questions européennes fondamentales. Pour Ralf Dahrendorf, « l'euro-jargon allemand est marqué par l'imprécision dans les détails et les formules nébuleuses pour l'essentiel [2] ». L'ancien Président fédéral Richard von Weizsäcker confirme que nous n'avons « jusqu'ici, dans notre pays, et à la différence de la plupart des autres pays membres de l'Union européenne, que peu discuté publiquement des objectifs et des conséquences des prochaines étapes de l'unification européenne [3] ».

Toutefois, avec l'imminence de l'Euro, on s'interroge de plus en plus ouvertement sur les avantages et les inconvénients de la monnaie commune européenne. Le débat sur l'Euro s'est fortement développé en 1997 et anime maintenant plus les esprits que toutes les autres questions européennes. À l'approche de janvier 1999, le débat décolle et devient de plus en plus bruyant, dépassant largement le respect des critères de convergence, et posant la question du sens, du but et des perspectives de l'Euro, conçu comme unité monétaire communautaire. « On aurait apprécié que ce débat ait lieu avant la ratification du traité de Maastricht », constate Friedrich Ernst Jung[4].

Par ailleurs, il ajoute que beaucoup de choses sont mises en attente : « Pendant ce temps, l'élargissement de l'Union européenne à l'Est ne parvient pas à dépasser le stade des déclarations d'intention, même si aucun doute ne subsiste vraiment quant à sa nécessité politique. Sur la coopération en matière de sécurité intérieure, on n'a pratiquement pas avancé [...] et puisque l'on n'avance pas vraiment, on se cache volontiers derrière les belles apparences. Le terme même d'" union " employé dans le traité de Maastricht est en avance sur la réalité. Coller ce genre d'étiquettes ne suffit pas à masquer le fait que la substance même des compétences nationales reste, en dépit de tous les efforts, intouchée. Est-ce que nous poursuivons encore une *winning strategy*, dont on sait qu'il ne faudrait jamais l'abandonner sans nécessité impérieuse, ou bien préférons-nous nous accrocher à l'échafaudage de conceptions entre-temps dépassées ? » (*ibid.*). Le débat sur l'Euro montre en fait, mais de façon accentuée, à quel point le flou règne autour de l'Europe et de son avenir politique.

Dans le débat politique et public sur l'Europe, l'Euro ne permet donc de dégager que des positions et des lignes de front générales. Il s'agit en fait surtout des champs de conflit potentiels entre les

nations et une fédération européenne. On peut citer à cet égard différents problèmes :
1) l'Euro et le deutsche Mark,
2) le rapport de la nation à l'Europe,
3) le rôle de l'identité nationale dans l'Allemagne unifiée.

La discussion menée depuis 1990 s'articule également en phases : en 1990 et dans les années suivantes, l'unité allemande concentrait sur elle toute l'attention de la politique intérieure, l'évolution de la situation de l'Allemagne au plan international accaparant quant à elle la politique extérieure. Par comparaison, la conclusion du traité de Maastricht a suscité beaucoup moins d'intérêt. Seul l'arrêt pris en 1993 par la Cour constitutionnelle fédérale sur le traité de Maastricht fit clairement se reporter l'attention de l'opinion publique sur la question du but de la poursuite de l'intégration européenne. Entre les options d'une confédération d'États et d'un État fédéral, la Cour constitutionnelle a tranché en faveur d'une « association d'États ». Après les élections au Bundestag en 1994, cette discussion s'est à nouveau apaisée, pour ne se raviver qu'en 1997, avec le rapprochement de l'échéance de l'Euro – et de la campagne électorale.

Le grand sujet : l'Euro

Le débat sur l'entrée en vigueur de l'union monétaire européenne ne se résume pas – au moins en apparence – à un débat entre partisans et adversaires de l'Euro, ni même entre partisans et adversaires de l'Union européenne. Il porte beaucoup plus sur la stabilité de la nouvelle monnaie et sur le respect des critères correspondants, et, d'autre part, sur le respect du calendrier ou le report de l'entrée en vigueur. Les uns ne veulent voir entre les exigences du calendrier et celles de la stabilité aucune contradiction, et considèrent que ceux qui doutent sont au fond simplement des « eurosceptiques », dont l'objectif, à travers le report de l'union monétaire, est de retarder l'approfondissement de l'intégration européenne [5]. Les « sceptiques », pour leur part, s'inscrivent en faux contre les accusations qui font d'eux de mauvais Européens, et mettent en garde contre une entrée en vigueur précipitée de l'Euro au mauvais moment, qui ferait de l'Europe une menace réelle pour les gens. À cela s'ajoutent chez les « sceptiques » des motifs de politique intérieure : en particulier la volonté des hommes politiques, dans quelques Länder d'Allemagne, en critiquant la politique européenne, de prendre leurs distances par rapport au gouvernement fédéral d'Helmut Kohl, voire de conduire le chancelier lui-même à l'échec à travers l'échec de ses objectifs européens.

Le résultat de ce « débat sur le report, que l'on ne rencontre qu'en Allemagne », c'est la crainte générale pour la stabilité de la nouvelle monnaie et pour la perte du symbole national que constitue le deutsche Mark [6]. En période de prospérité économique et avec la fierté nationale qui en découle, le deutsche Mark est passé de son rôle de moyen de paiement à celui de symbole national. La perspective de son remplacement par une monnaie européenne encore absolument pas familière rehausse pour beaucoup d'Allemands la valeur du deutsche Mark. En outre, le lien entre l'union monétaire et l'union politique au sens plus étroit n'est pas clair. « Au moment délicat du passage de la monnaie nationale à la monnaie européenne, il peut s'avérer fatal que le grand pas vers l'approfondissement de l'espace européen reste purement monétaire [...]. Il faut donc aussi montrer clairement comment la monnaie unique s'inscrit dans un projet européen d'ensemble », prévient Norbert Prill [7].

Mais est-ce que, ce faisant, l'Allemagne ne surestime pas l'Euro ? L'Europe, selon Prill, « ne s'accomplira pas à travers l'Euro, pas plus que le deutsche Mark n'est le seul phare de l'" identité " allemande. Mais tout comme le Mark a contribué au rang actuel de l'Allemagne, l'Euro peut rendre l'Europe unie forte et l'aider à s'affirmer comme un acteur convaincant sur la scène mondiale. Il convient donc de célébrer l'Euro comme un acte pionnier de l'Europe, destiné à ouvrir la route aux colons qui suivront [...] » (ibid., p. 9). Le plus controversé, c'est l'importance politique et le rôle de l'Euro. Il est certain que la Bundesbank constitue en Allemagne un point d'ancrage de la stabilité et de la confiance envers les institutions de l'État – et la remettre en question violerait un tabou absolu. Par opposition, l'Euro semble flotter dans un " *no man's land* entre l'État-nation et l'Europe ". La politique monétaire est certes aussi de la politique, mais l'ordre politique dans lequel elle s'inscrit reste flou. En outre, l'Euro pourra-t-il contribuer à l'unification européenne, même si tous les États membres de l'Union européenne n'y adhèrent pas ? Que signifie l'Euro pour l'identité européenne ? L'Euro constitue-t-il le pas décisif vers une fédération européenne ? Couper ou occulter la ligne qui relie l'Euro à l'Europe, c'est le véritable élément crucial du débat sur l'Euro et la nation [...] (*ibid.*, p. 12).

Le rapport entre les politiques économique et monétaire est tout aussi flou. L'union économique et monétaire n'implique-t-elle pas aussi une politique économique commune ? N'est-ce pas là un élément important, surtout en situation de concurrence, dans laquelle les sites économiques nationaux sont en concurrence les uns par rapport aux autres par leurs politiques économiques, fiscales et parafiscales ? D'un autre côté, la politique économique dans une économie de marché ne peut que fixer un cadre. Les échanges commerciaux sont de toute façon "dépolitisés ", estime l'économiste Ernst-Joachim Mestmäcker[8]. "Le domaine dans lequel les États membres ont communautarisé et délégué leur souveraineté reste pour le moment le seul domaine de l'économie. " Nous sommes dans une économie de marché où règne la libre concurrence. Avec une économie de marché et une banque d'émission européenne, l'économique est " neutralisé au plan politique " : s'il est une réussite de l'intégration, c'est bien celle de

la dépolitisation des échanges économiques trans-
frontaliers, qui s'appuient sur les principes normatifs
du marché intérieur et sur une concurrence non
faussée. »

L'essence de l'économie de marché, c'est que
l'État fournit le cadre général et y assure le fonctionnement du système, mais limite ainsi ses propres
marges de manœuvre en matière de politique économique. Ce qui se cache derrière cela, c'est une
conception particulière du rapport entre l'autorité et
la liberté. Même si la monnaie est au cœur de la souveraineté nationale et la politique monétaire au cœur
de la politique économique moderne, c'est en Allemagne la Bundesbank « qui dans ce domaine clé de
la souveraineté, participe de façon déterminante à la
préparation de l'union monétaire ». Tant que
l'Union européenne ne peut pas s'appuyer sur des
institutions propres, reposant sur une légitimité
démocratique directe, elle est « tributaire de la légitimation par des garanties de liberté généralement
acceptées et par la neutralité politique de ses institutions ». C'est pourquoi la politique économique
reste celle des États membres, et la capacité de fonctionner d'une banque d'émission indépendante est
soumise à la plus rude épreuve par l'union monétaire. « En cas de conflit, la banque centrale européenne se retrouvera face à autant de politiques économiques et financières qu'il y aura d'États
participants, et toutes seront différentes les unes des
autres, et démocratiquement légitimées. Aucun élé-

ment d'évaluation empirique n'est disponible pour nous préparer à aborder une telle expérience. »

Ce caractère expérimental crée des soucis à certains, comme Ralf Dahrendorf, qui se demande quels sont les grands problèmes de l'Europe, et qui considère qu'aucun de ces problèmes ne trouvera sa solution dans l'Euro. Ce qui touche les gens, c'est le chômage, le manque de compétitivité, la réforme de l'État social, la criminalité, le rejet de la politique, de nouvelles menaces diffuses. Mais, « quel que soit l'intérêt de l'union monétaire, elle ne contribuera que peu, voire pas du tout, à répondre aux questions auxquelles doivent répondre tous les Européens. Pis encore, l'union économique et monétaire nous détourne de ces questions. Elle accapare le temps et l'énergie de ceux qui devraient s'atteler à des questions plus importantes. Il est donc nécessaire de la replacer à un niveau plus modeste : l'union économique et monétaire ne mérite pas la priorité que certains lui accordent [9] ».

Pour Dahrendorf, s'il est certain que l'intégration toujours croissante de l'union des nations européennes est un objectif souhaitable, l'union monétaire européenne ne nous y conduit pas. Non seulement elle n'aide en rien à l'accomplissement des missions européennes communes, mais elle est même désintégratrice. Car elle ne peut être qu'une union monétaire partielle, dans la mesure où tous les États membres de l'Union européenne ne remplissent pas les conditions d'entrée. Non seulement cela remet en question l'intérêt que l'on peut attendre d'une monnaie « commune », mais l'union économique et monétaire crée même de nouveaux problèmes. Par ailleurs, il n'existe aucun lien identifiable entre l'union monétaire et l'union politique : il ne faut pas confondre l'union monétaire et l'Union européenne. Ou bien faut-il comprendre que les décisions politiques se glisseront par la petite porte de l'économie ? Une union monétaire n'est même pas en mesure de garantir la paix – comme le montre l'exemple de la Grande-Bretagne et de l'Irlande – ni le caractère irréversible de ses effets intégrateurs – comme en témoignent les exemples de la Tchécoslovaquie et de la Yougoslavie. L'Union européenne ne devrait pas « courir après on ne sait quels buts fantasques, mais plutôt résoudre les problèmes pour lesquels elle est compétente » (*ibid.*, p. 565). Jusqu'ici, c'est l'État-nation qui unit les gens de cultures et de religions différentes dans une même citoyenneté : il reste aussi le lieu dans lequel sont réunies les conditions institutionnelles requises pour aborder les grands défis de notre époque.

Actuellement, l'union monétaire « est le seul repère de la Communauté face à la disparition des ambitions », considère, quant à lui, Claus Koch [10]. La logique consiste à créer une identité entre l'objectif économique et l'objectif politique, et faire ainsi en sorte que les deux fins soient les moyens l'une de l'autre. Car l'union monétaire est présentée comme une condition préalable à l'union politique – en ce qu'elle représente l'harmonisation des politiques économiques et financières. D'un autre côté, les objectifs de l'union politique sont rattachés à l'union monétaire, dans la mesure où celui qui ne parvient pas à rejoindre l'union monétaire passe aussi à côté de l'union politique. Ce que Koch critique surtout, c'est que la politique européenne visant à la seule harmonisation des règles du marché, cela ne suffit pas, et il déplore le manque d'intérêt pour les institutions européennes.

En dépit de toutes les craintes, si certains populistes ont essayé de faire de l'Euro un thème de campagne et d'exploiter les angoisses diffuses d'une population incertaine de son avenir économique pour recueillir les suffrages des électeurs, ces tentatives n'ont rien donné. Si l'ambiance n'est pas à l'enthousiasme, l'Euro ne fait pas non plus l'objet d'un rejet véhément, mais plutôt d'un scepticisme patient. En fait, les enquêtes montrent régulièrement que la très grande majorité des Allemands témoignent à l'égard de l'Euro plus de scepticisme que d'approbation. En revanche, les milieux économiques s'engagent expressément en faveur de l'Euro.

Pour l'économie allemande, la mise en place d'une monnaie commune est le complément logique du marché intérieur, car elle permettra d'en exploiter encore mieux les avantages. La compétitivité, la croissance et l'efficacité économique pourraient s'en trouver accrues. L'espace monétaire élargi entraînerait également un espace économique élargi, un marché de débouchés plus grand et plus de stabilité face aux mouvements de capitaux internationaux, et diminuerait les coûts des transactions. L'obligation de respecter les critères aurait déjà conduit les États européens à une politique économique, budgétaire et financière meilleure, parce que plus disciplinée. La valeur irremplaçable de cette discipline imposée ne fait aucun doute. Si l'Union européenne compte aujourd'hui parmi les régions du monde les plus étroitement imbriquées et les plus homogènes au plan économique malgré toutes les différences, elle remplit ainsi deux conditions décisives pour un espace économique optimal : l'union monétaire européenne ne sera ni un échec ni une « communauté inflationniste [11]. »

Ce que craignent pourtant les dirigeants économiques et qu'espèrent les syndicats, c'est que l'on puisse aussi en venir à une politique sociale et de l'emploi qui soit également harmonisée au niveau européen. Arnulf Baring craint lui aussi que les avantages tirés du renforcement de la concurrence ne soient absorbés par les demandes de compensation entre les pays. La perte de la flexibilité économique qu'offrait le système actuel des taux de change nécessite de nouvelles possibilités d'adaptation ; ce pourraient être les baisses des salaires, la mobilité de la main-d'œuvre, les opérations de transfert et/ou le protectionnisme. Alors que la pression sur les salaires et sur la mobilité n'a guère de chance de pouvoir s'imposer, l'appel à un « rapprochement des conditions de vie » se fait déjà plus fort, et va encore s'amplifier. Il en va au fond de même dans l'espace économique américain, dont la dimension est comparable : « C'est pourquoi l'instrument des trans-

ferts financiers fait partie intégrante des espaces économiques unifiés [12]. » Ces transferts ne seront pas
populaires en Allemagne, mais cela ne stoppera pas
la tendance vers un chantage à propos des objectifs
supérieurs de l'unification européenne. « Nous ris-
quons de nous trouver un jour face à une alternative :
soit regarder passifs et impuissants une radicalisation
de la politique dans certains États membres de
l'Union européenne, avec tous les risques que cela
comporte pour le libre-échange et les menaces que
ces risques représentent en retour pour la pérennité
de l'Union européenne, soit atténuer par des transferts financiers les tensions politiques intérieures
dans l'État membre de l'union monétaire européenne concerné » (*ibid.*, p. 210). « Si l'Allemagne
insiste pour que l'Euro soit mis en place maintenant,
et si la discipline budgétaire implique des difficultés
financières considérables dans la plupart des pays
d'Europe – y compris la réduction des prestations
sociales –, nous, les Allemands, en serons tenus pour
responsables » (*ibid.*, p. 238). L'idée maîtresse de
Baring est que, « si l'on veut vraiment une intégration progressive et stable de l'Europe, il faut espérer
que la charge explosive de l'union monétaire européenne va être désamorcée à temps. Le meilleur
Européen est celui qui dit publiquement que l'union
monétaire est trop dangereuse pour le moment »
(*ibid.*, p. 241).

D'une manière générale, on constate que les
« experts » des universités et des instituts comptent
parmi les sceptiques. Au niveau véritablement poli-

tique, la discussion a été très retenue. Les partis et les hommes politiques, dans leur grande majorité, considèrent que l'Euro participe d'un approfondissement de l'intégration de l'Union européenne, et que celui-ci doit être l'objectif de la politique européenne de l'Allemagne. Les tentatives des petits partis de récupérer des voix en marquant leur opposition à l'Euro sont restées infructueuses. C'est pourquoi on en vient même à reprocher à la classe politique de ne pas « permettre » sciemment la discussion sur cette forme concrète de l'intégration européenne – comme si elle avait les moyens de s'y opposer (cf. Baring, note 1).

Pourtant, on continue de soupçonner les tenants d'un report de n'être au fond favorables à l'union monétaire que dans les mots, pour la seule raison qu'ils n'ont aucun autre projet politique à proposer pour la poursuite de l'intégration de l'Union. Il apparaît que leurs hésitations ne visent pas seulement à « un report au cas où les critères de stabilité ne pourraient pas être respectés, mais reposent plutôt sur des doutes fondamentaux, exprimés par la suite, sur l'ensemble du projet de Maastricht [...]. Face à cela, les autres n'ont pas d'autre choix que de prêcher, avec la monotonie d'un moulin à prières, pour le lancement de l'Euro dans les délais et dans le respect des critères [13]. »

Pour les partisans de l'Euro, l'union monétaire est en revanche « le projet clé pour la poursuite du processus d'unification européenne ». C'est ainsi que le formule le document programmatique du groupe

CDU-CSU au Bundestag du 16 septembre 1997 [14], sous la houlette de Wolfgang Schäuble. Les auteurs constatent que le débat sur l'union monétaire s'est intensifié et approfondi en Allemagne, et ils imputent cette évolution au fait que la date d'entrée en vigueur de l'Euro va de pair avec les mesures d'austérité et les réformes du gouvernement fédéral. Il faut, mieux que jusqu'à maintenant, faire comprendre à l'opinion publique qu'il est de toute façon indispensable de faire des économies, de suivre une cure d'amaigrissement et d'entreprendre des réformes, et que la nécessité de respecter les critères de Maastricht ne fait qu'accroître la pression, et donc ne fait qu'accélérer des réformes de toute façon nécessaires. « L'union monétaire vise, au-delà de l'achèvement du marché intérieur, à assainir et à moderniser en profondeur les économies européennes, qui doivent avoir un effet stabilisateur sur l'organisation économique et sociale des pays participants, et qui peuvent avoir des répercussions favorables sur l'organisation politique. » Maastricht permet de rompre le cercle vicieux : délabrement des finances publiques, endettement, manque de compétitivité et chômage.

C'est pourquoi l'enjeu de l'Euro va plus loin : il s'agit de la capacité de l'Europe à affronter l'avenir. Car la puissance et la force d'adaptation des systèmes politiques doivent maintenant faire leurs preuves. Savoir si nous y parviendrons ou non, c'est aussi se demander si nous sommes encore, en Europe, en mesure d'agir. Le caractère passionnel des débats sur

« Maastricht » dans les pays d'Europe les plus divers montre que « l'enjeu est de taille : c'est l'ordre économique, social et politique de l'Europe ». La réussite du projet est déjà patente à travers « l'union de stabilité » que constitue l'Europe. Un report du calendrier retirerait non seulement la pression salutaire, mais remettrait également en question les succès déjà obtenus en matière de stabilité, et même le projet d'union monétaire dans son ensemble. Pour l'Europe, cela n'aurait pas seulement de graves répercussions économiques, mais aussi des conséquences politiques.

Richard von Weizsäcker le souligne également : « L'Euro n'a pas seulement une portée monétaire, il est également le symbole du progrès d'un processus de rapprochement laborieux, difficile, et néanmoins si important au plan historique [...]. Le but véritable et l'objectif réel de toute cette opération, c'est l'unité européenne. On a un peu perdu de vue cette idée [15]. »

Autodétermination et soumission

Dans le débat public, la question de l'Europe a tourné jusqu'ici autour de deux aspects : le problème de la légitimité démocratique et la question de la forme que pourrait prendre une fédération européenne d'États. Dans la relation entre chaque nation et une fédération européenne, la question déterminante est celle de l'autodétermination politique et de la soumission à des décisions imposées de l'extérieur, par « Bruxelles ». C'est également cette question qui se cache derrière le « déficit démocratique » si souvent reproché à la politique conduite au niveau européen – il s'agit au fond d'une seule et même question.

La démocratie est caractérisée entre autres choses par le fait qu'il existe une majorité et une minorité, mais que la minorité peut accepter les choix de la majorité, parce qu'elle ne les considère pas comme des décisions illégitimes imposées de l'extérieur, mais simplement comme des options politiques différentes. Au contraire, dans le contexte européen, la défaite de la minorité par rapport au vote majoritaire est immédiatement ressentie comme une aliénation, et n'est donc pas acceptée comme étant fondée par une légitimité démocratique. C'est le principe de l'État-nation qui continue de s'appliquer : l'idée de la souveraineté populaire, le peuple étant ici assimilé à la nation. Peter Graf Kielmansegg a réalisé une étude remarquable sur cette situation [16]. Selon lui, le credo de l'ère démocratique est que les gouvernements puisent leur pouvoir légal de l'approbation des gouvernés. Mais qu'advient-il de ce principe pour l'Union européenne ? Les élections au Parlement européen ne suscitent que peu d'intérêt ; en outre, les campagnes sont conduites dans un contexte national et autour de questions de politique intérieure. La situation serait identique, quand bien même il s'agirait d'un référendum portant sur des décisions véritablement européennes – ce sont des scrutins pour ou contre les gouvernements nationaux en place. Enfin, les sondages font apparaître des majorités respectables dès lors qu'il s'agit de se déterminer pour ou contre l'idée de l'unification européenne en général, mais peu d'assentiment dès que les questions portent de façon précise sur les formes concrètes de cette unification. « Il s'agit [...] d'une bienveillance diffuse, mal enracinée, pas très solide, peu stable, à l'égard de l'idée européenne, mais en aucun cas d'une reconnaissance du fait, devenu une évidence, que l'Union européenne est une entité commune à douze nations, et qu'on en est citoyen. »

Jusqu'ici, poursuit Kielmansegg dans son analyse, l'Europe s'est très bien accommodée de cette bienveillance diffuse, et les hommes politiques ont pu en tirer une marge de manœuvre relativement grande. Mais, aujourd'hui, les choses ont changé, au moment même où doivent être prises des décisions que les gens vont sentir directement – comme l'union monétaire – où des tâches importantes attendent d'être entreprises – comme les questions de l'élargissement et de l'approfondissement – et où donc l'Europe a plus que jamais besoin de légitimité pour prendre des décisions d'une très grande portée. Pour Kielmansegg, la profonde inquiétude des gens est due à deux facteurs : le caractère très ouvert, et donc imprévisible, du processus d'intégration européenne, et son irréversibilité. On franchit des étapes sur la voie d'un avenir que l'on ne peut décrire que comme extrêmement flou, tout en sachant que l'on prend des engagements qui, eux, sont fermes. « Il n'est pas très surprenant que quelqu'un qui avance sur un chemin sans retour, sans savoir où la route le conduit, hésite parfois, s'arrête, doute. » Quel est le degré d'intégration nécessaire ou utile ? Quelles sont les tâches pour lesquelles l'État-nation est désormais trop petit ? Pour lesquelles est-il encore adapté ? De quoi doit être faite concrètement la coopération entre les nations européennes, et comment doit-elle fonctionner ?

Le problème plus fondamental de la soumission à des décisions prises ailleurs, Kielmansegg l'analyse comme un problème fondamental ancré plus en profondeur. La vérité, c'est que « les Danois veulent être gouvernés par des Danois, les Britanniques par des Britanniques, les Français par des Français [...]. Les institutions européennes, qui ne sont au fond rien d'autre que des dispositifs de co-gouvernement de tous les États membres par tous les États membres, reposent par nature sur une légitimité faible ». La question essentielle est celle de la position qu'occuperont à l'avenir les États membres dans l'édifice constitutionnel de la Communauté. Celle-ci n'est encore aujourd'hui qu'un système de négociation, au sein duquel les gouvernements nationaux jouent le rôle décisif, et doivent parvenir à dégager des consensus. Un parlement renforcé ne serait pas non plus en mesure de combler cette lacune fondamentale, parce qu'il ne représenterait pas un peuple européen, qui n'existe pas en tant que tel. Ce qui manque surtout à un électorat européen et à une véritable représentation populaire européenne, c'est une opinion publique politique commune.

C'est la raison pour laquelle l'appel réflexe à un renforcement du Parlement et de ses droits – qui ont déjà été beaucoup renforcés – ne touche pas au cœur du problème de la légitimité de l'Europe. Ce qui pose problème, ce n'est pas l'un ou l'autre des défauts du niveau institutionnel de l'Europe politique, c'est la nature même de l'Union européenne en tant que confédération d'États-nations. Le slogan « Démocratisation » simplifie une situation complexe, parce qu'il ne tient pas compte de l'essence particulière d'une union de nations. On peut en dire autant de la formule incantatoire « Approfondissement plus élargissement », pour laquelle persiste la même complexité des rapports entre Communauté et États membres. En résumé : « L'Union européenne restera avant tout une communauté d'États, et ne pourra devenir qu'accessoirement une communauté de citoyens. »

Le débat de fond était le même lorsque s'est posée la question du choix, pour l'Europe, entre une « confédération d'États » et un « État fédéral » ; la question a connu son heure de gloire en 1994, puis a été finalement résolue par le terme choisi par la Cour constitutionnelle fédérale, qui a déclaré que l'Union européenne était une *association* d'États : « Le traité de l'Union fonde une association d'États visant à réaliser une union de plus en plus étroite des peuples d'Europe – organisés en États – et non un État s'appuyant sur un peuple de citoyens européens. » Le point de départ de cet arrêt de la Cour constitutionnelle fédérale, c'était encore une fois la question de la légitimité démocratique d'une Europe unie : le principe démocratique n'empêche certes pas la république fédérale d'Allemagne d'être membre d'une communauté interétatique – organisée à un échelon supranational –, mais à condition que soit garantie une légitimité émanant du peuple, et une possibilité pour le peuple d'intervenir aussi au sein de l'association d'États. Cette condition est remplie à partir du moment où les actions des instances européennes sont soumises aux parlements nationaux, auxquels s'ajoute la participation du Parlement européen. Mais cela fixe également des limites à l'extension et aux prérogatives des Communautés européennes. Selon l'exposé des motifs de l'arrêt de la Cour constitutionnelle fédérale, on ne sait pas où doit nous conduire le processus d'intégration européenne, mais l'Union européenne n'est pas une personne juridique autonome ; seuls le sont les États membres. Le traité de l'Union veille expressément à l'identité nationale de ses États membres et, ce faisant, se fonde sur leurs bases démocratiques.

Le philosophe Hermann Lübbe s'est le plus opposé à l'idée d'un État fédéral européen [17]. Il estime que, d'une part, l'heure n'est plus à la constitution de grandes entités étatiques, après que, au cours de ce siècle, se sont effondrés la monarchie du Danube, l'Empire ottoman, l'Union soviétique. La pluralisation des États et la résurgence du droit à l'autodétermination des peuples sont beaucoup plus représentatives de l'époque contemporaine. D'autre part, rien n'exige que l'Union soit un État sur un modèle traditionnel, et surtout pas un grand État. Sa plus grande contribution, si souvent mise en avant, à savoir la réduction de la menace nationaliste, l'Union européenne l'a déjà fournie – sans être un État. L'histoire la plus récente a également montré qu'il peut aussi y avoir des nations sans nationalisme. Et, enfin, c'est le droit à l'autodétermination nationale qui a permis l'unification allemande.

Les aspirations nationales en Europe n'ont donc en aucun cas perdu leur propre force politique, ni même leur pouvoir de cohésion au sein de l'État, et sont l'expression incontestable de l'autodétermination nationale. Dans une société mondiale dans laquelle les conditions de vie des civilisations sont de plus en plus similaires, et les interdépendances de plus en plus grandes, croît aussi le besoin, selon Lübbe, de s'assurer de sa propre identité, de se sentir conforté dans ses origines. Lübbe considère que faire de tout ce qui est « national » une relique de l'histoire constitue une forme spécifiquement allemande d'autolimitation – les Allemands cherchant ainsi à s'affranchir définitivement des résidus du national-socialisme. Ce postnationalisme affirmé à outrance est bien « allemand ». La menace du nationalisme ne pourra pourtant pas être maîtrisée par une dénégation de l'élément national, mais par des institutions politiques – européennes – qui dépassent le national.

On peut tout à la fois abandonner une conception erronée d'un État paneuropéen et s'accommoder de la poursuite pragmatique des missions communes qu'assume l'Europe. L'avantage évident que présente l'unification européenne, c'est son utilité pratique : elle place la coopération entre les nations européennes, par-delà les systèmes de traités multilatéraux, sur la base d'institutions analogues à celles d'autorités territoriales, mais avec des compétences à l'échelle du territoire européen. Pour Lübbe, ce qui compte donc, c'est le pragmatisme dans la poursuite du processus d'intégration, et non sa fin.

L'auteur et constitutionnaliste Josef Isensee pousse encore plus loin l'interrogation et se demande pourquoi l'Union européenne devrait être un État, et considère que cette perspective relève de l'« étatisme » – des Allemands : comme si tout ce qui se situe en dessous ou au-dessus de l'État ne pouvait être qu'une forme atrophiée de la plénitude qu'est l'État. Les différences politiques et culturelles qui font l'Europe ne signifient pas un manque de points communs : bien au contraire, l'identité de l'Europe réside précisément dans sa diversité. La grande réussite historique de l'unification européenne, c'est d'être parvenue à « apprivoiser les États-nations, et à leur imposer une discipline de droit à travers des dispositions supranationales » ; c'est la reproduction, à l'échelle du continent, de « ce que l'État moderne a réussi de mieux dans son domaine intérieur, mais sur un horizon qui dépasse largement le sien ». La communauté supranationale a donc déjà apporté sa contribution superétatique, sans que les États

membres aient eu pour autant à sacrifier leur souveraineté ou leur identité – il n'est donc ni nécessaire
ni souhaitable d'aller plus loin [18].

Le synonyme de la variante fédérale du projet
européen, ce sont les « États unis d'Europe » – une
formule qui n'est pratiquement plus utilisée aujourd'hui en Allemagne, et dont même le chancelier
Kohl s'est distancié [19]. L'assimilation de cette formule
au modèle américain, très homogène au plan culturel, par comparaison avec l'Europe, prêtait trop à
confusion et provoquait chez les Européens plus de
soucis quant à leur identité que d'espoirs pour leur
avenir commun. C'est bien sa diversité qui caractérise
l'Europe. Et c'est précisément pour préserver cette
diversité et l'avenir de ses nations que l'Europe doit
s'unifier – telle est l'intime conviction du chancelier
Kohl. Pour lui, l'Union européenne ne saurait en
aucun cas se limiter à une question économique,
l'enjeu, c'est la guerre ou la paix. Non pas que, du
jour au lendemain, une guerre puisse éclater entre
la France et l'Allemagne, ou entre d'autres États de
l'Union européenne. Mais l'histoire de l'intégration
européenne nous enseigne que la participation à des
institutions communes et à une action commune, qui
va bien au-delà de la simple coopération entre États,
a rendu impossibles les agressions et les conflits guerriers entre nos pays. Mais c'est là un effet qu'il faut
garantir, selon Helmut Kohl, puisque pend inexorablement sur les États-nations l'épée de Damoclès du
nationalisme. « Une chose est sûre : l'unification
européenne constitue la garantie la plus efficace

contre un retour au chauvinisme funeste du siècle
dernier [20]. »

C'est pourquoi l'élargissement de l'Union européenne à ses voisins orientaux fait partie des intérêts
vitaux de l'Allemagne. D'autre part, les communautés déjà réussies à l'ouest, au nord et au sud de
l'Europe doivent être encore renforcées, et l'intégration européenne doit être rendue « irréversible ».
Derrière cette idée se cache la conviction selon
laquelle le refus de nouvelles étapes de l'intégration
et l'entêtement à faire stagner le processus d'intégration signifieraient nécessairement une marche
arrière, qui nous éloignerait d'un ordre de paix réellement stable pour l'ensemble de l'Europe. Il
n'existe pas de *statu quo*, qu'il s'agirait de maintenir,
mais de ne pas élaborer. Les adversaires d'Helmut
Kohl appellent cette théorie la « métaphore de la
bicyclette » : pour rester sur la route, il faut appuyer
vigoureusement sur les pédales – si l'on arrête, le vélo
tombe.

Au plan politique, l'idée d'endiguer le nationalisme potentiel des États-nations en les intégrant dans
des institutions supranationales joue aussi un rôle
pour la position particulière de l'Allemagne. Le traité
de Maastricht est au fond lié, d'un point de vue historique, à l'unité allemande de 1990. C'est l'histoire
d'un géant que l'on attache et qui s'attache lui-
même, parce qu'il ne veut pas avoir l'air plus grand
que ses voisins ; même pour ses proches voisins, sa
grande taille n'est pas rassurante. Baring profère
cette mise en garde : à travers la rhétorique d'Helmut

Kohl sur la paix et la liberté, les Allemands risquent de donner l'impression qu'il faut, à travers l'Europe, les protéger contre eux-mêmes [21]. F. E. Jung met en garde contre un point de vue trop allemand de l'intégration : la conviction que ce que l'Allemagne trouve juste et bon doit également être juste et bon pour ses partenaires est très largement répandue, et l'argument de la « domestication » suscite en d'autres lieux la crainte d'une tentation de domination de la part de l'Allemagne, depuis le cœur de l'Union européenne [22]. En réalité, cela montre surtout que l'Allemagne a su tirer les leçons de son histoire. L'Allemagne unifiée est très éloignée de l'euphorie nationaliste et de nouveaux rêves de puissance.

État fédéral ou confédération d'États – la question n'est toujours pas réglée. Doit-on s'en tenir à une part de coopération et à une part d'intégration des politiques nationales ? Ce qui ressort en tout cas des divers points de vue, c'est que tout le monde est d'accord pour dire que la forme politique que prendra l'Europe à l'avenir est quelque chose de difficile à cerner selon les catégories habituelles. Il ne s'agira pas d'un État souverain en soi, dans lequel se seront fondus les États-nations, mais on ne pourra pas non plus s'en tenir à une coopération relâchée. Les formules rhétoriques dominantes soulignent qu'il ne s'agira ni d'un État fédéral ni d'une fédération d'États : l'Europe sera une « livraison non conforme à la commande », une forme de fédération « *sui generis* ».

Ou alors, devons-nous nous satisfaire d'une
Europe qui prévoit entre quelques États et dans
quelques domaines une intégration ferme, et donc
une action commune, et n'envisage qu'une simple
coopération entre d'autres États et dans d'autres
domaines ? Les formes de la coopération européenne, avec leurs portées et leurs intensités différentes, ressemblent déjà à l'image des « anneaux
olympiques ». L'idée d'une Europe « à plusieurs
vitesses » ou d'une Europe des « cercles concen-
triques » a été fatale au texte présenté par
MM. Schäuble et Lamers au début de la présidence
allemande du Conseil. Ce qui a déclenché les plus
vives critiques, ce n'est pas tellement la constatation
qu'ils faisaient, mais plutôt la question de savoir quels
étaient les pays qui, d'après cette analyse, étaient
appelés à faire partie du « cercle intérieur », du
noyau de l'Europe [23].

Werner Weidenfeld, un des meilleurs spécialistes allemands de l'Europe, défend lui aussi le principe d'une intégration « différenciée ». Il explique
que l'Europe est actuellement un « système à plusieurs niveaux » ; l'union monétaire en sera le meilleur exemple : certains en feront partie, d'autres pas
– pas encore. Weidenfeld tente ainsi de prendre en
compte le rôle des États-nations : « Seul un système
de double représentation, dans lequel les ressources
de légitimité européennes et nationales se complè-
tent judicieusement dans un édifice d'ensemble,
peut fournir des bases suffisantes à la légitimité de
l'Europe. Il faut donc qu'agissent ensemble, en tant

que sources différentes de légitimité politique, la légitimité donnée aux États membres, transmise par les parlements nationaux, et des formes européennes de légitimation directe [24]. »

Le sentiment dominant est que le traité de Maastricht a constitué jusqu'ici la possibilité la plus avancée du faisable, le dernier grand acte commun de volonté de la politique européenne. L'intégration a-t-elle atteint ses limites ? A-t-elle atteint ses meilleures perspectives de croissance ? Les difficultés objectives et les doutes subjectifs se sont développés. Les freins à l'évolution, ce sont d'une part le rôle persistant des États-nations dans la conception qu'a l'Europe de son architecture politique, mais aussi la prise de conscience des limites du « génie créatif » de la politique. Il y a unanimité pour dire que, finalement, on est déjà parvenu à faire beaucoup de choses et que cet acquis doit être préservé et parachevé.

C'est ce que dit F. E. Jung : « Il faut, d'une part parfaire et protéger le marché intérieur européen, avec ses imbrications institutionnelles », et, d'autre part, « il est impératif d'élargir l'Union vers l'Est. Il faut battre ce fer pendant qu'il est chaud [...]. Comprendre que l'intégration totale de l'Europe n'est pas réalisable ne dispense pas l'Allemagne d'une politique européenne à long terme. Comme nous l'avons vu, au lieu d'une intégration maximale, on ne peut certes parvenir qu'à une interpénétration optimale ; l'Union européenne ne se composerait pas d'un, mais de plusieurs centres de pouvoir politiques. En temps que futur centre de l'Union euro-

péenne, quelle mission passionnante pour l'Allemagne que d'agir comme s'il existait déjà une
intégration optimale », c'est-à-dire de « prêcher par
l'exemple [25] ».

L'avenir de l'Europe dépend aussi de ce que
l'on entend par Europe. L'Europe, telle que l'analyse
Robert Picht, « a été considérée jusqu'à un passé
récent en Allemagne comme une vague évidence [...], une utopie délavée, mais jamais mise à
l'épreuve [26] ». Ce qui est ressorti du traité de Maastricht n'est pas un État fédéral démocratique sur le
modèle rêvé des Allemands : c'est un imbroglio
extrêmement contradictoire, fait de chevauchement
des compétences entre des organes communautaires
intégrés, de concertation interétatique entre les gouvernements nationaux et de réserves régionales en
vertu du principe de subsidiarité, qui peut servir dans
bien des domaines » (ibid., p. 852). Cet ensemble ne
peut continuer de se développer que si la politique
de l'Union et celle de ses États membres respectent
un « double critère » : ménagement à l'égard de
l'autonomie des États-nations et compatibilité des
politiques nationales avec les dispositions communautaires. Walter Reese-Schäfer analyse cela comme
la tendance majeure du débat actuel : considérer la
nouvelle Europe comme une entité « sui generis »,
et plaider en particulier pour des « conceptions
dualistes » ou des « ordres constitutionnels
bipolaires [27] ».

Mais les institutions politiques nationales sont
elles-mêmes en crise. La Politikverdrossenheit, le « rejet

de la politique », est un mot en vogue en Allemagne, mais c'est aussi un phénomène généralisé à l'ensemble de l'Europe, à une époque caractérisée par l'individualisation et l'atomisation de ses sociétés, le détachement de l'intérêt commun, et la mise en avant des intérêts individuels. La situation est donc de toute façon assez confuse : Bruxelles et Strasbourg ne font qu'ajouter à cette confusion. Il ne faudrait en tout cas pas attendre autant de la politique : le règne de la fraternité ne naîtra pas de l'Union européenne. « Si l'on veut protéger la démocratie et l'autodétermination, il faut s'accommoder des faiblesses considérables de la politique en matière de prise de décision. Il faudra admettre que, trop souvent, aucune décision ne peut être prise, ou que l'on ne peut parvenir qu'à de mauvais compromis, alors que l'on aurait besoin de décisions courageuses. Nous devrons apprendre à supporter que le déficit du politique soit la normalité. » Il est encore plus certain que nous devrons au fond nous habituer « à vivre dans des entités sociétales qui ne disposeront absolument plus de la cohésion, de l'identité stable ni des fondations associatives, démocratiques et relationnelles dont disposent les États-nations, mais dans lesquelles nous devrons pourtant nous organiser [28] ».

La forme que prendra une Europe unie nécessite une Constitution. Mais, selon Claus Koch, « face à l'absence de réaction de l'opinion publique, face à la résignation décontractée des experts et face à la difficulté qu'ont les hommes politiques à expliquer leurs positions, rouvrir maintenant le débat sur une

Constitution doit paraître rétrograde, comme une irritation stérile. Ne serait-il pas plus sage d'accepter de reconnaître en ce désintérêt une tendance historique à la raison et à la sagesse, et d'y voir la preuve que la civilisation survit à l'État... ? [29] » Mais une Constitution européenne, cela pose les mêmes problèmes que ceux déjà évoqués à propos de la démocratie européenne : il manque une opinion publique commune, et donc une volonté politique commune constituée sur une base communautaire, une identité collective européenne et une capacité à débattre au plan supranational. Par ailleurs, les institutions juridiques existantes ne suffisent-elles pas [30] ? La Communauté existe avant tout en tant que communauté de droit ; c'est cela qui fonde son unité et crée sa légitimité.

Helmut Kohl considère qu'attacher tant d'importance à la communauté de langage est une erreur – parce que alors les magistrats européens ne pourraient pas statuer sur des intérêts nationaux s'ils ne disposent pas de la compétence linguistique. Si l'Europe est incompréhensible, la faute en incombe à la technocratie de l'Union, « au sein de laquelle la matière dépolitisée est marchandée dans une communication supranationale, par formules toutes faites, et, d'une certaine façon, sans parole, jusqu'à ce qu'elle soit harmonisée » (*ibid.*, p. 19). Et les parlements nationaux ne pourraient plus négocier « en version originale » que les sujets de deuxième, voire de troisième plan, et agir devant des apparences d'opinion publique, parce que les véritables décisions politiques majeures ne seraient plus prises à ce niveau national. Les conceptions qui s'affrontent, qu'il s'agisse de la confédération d'États sans Constitution ou de l'unité étatique constitutionnelle, ne peuvent de toute façon plus rattraper cette réalité. « Pourquoi ne pas réfléchir à une forme politique de l'Europe dans laquelle serait accepté et assimilé le caractère incontournable d'une légitimité divisée et d'une double représentation ? » (*ibid.*, p. 21). Nous devons davantage porter notre attention sur la qualité exceptionnelle pour laquelle il convient de maintenir l'Europe : l'unité dans la diversité et la diversité dans l'unité.

L'identité nationale en Allemagne

Michael Stürmer, historien et directeur du centre de recherche *Wissenschaft und Politik* (« Science et politique »), souligne que la question de l'intégration de l'Europe et de sa finalité pose aussi à nouveau la question de la nation et de son importance [31]. La question de la nation a constitué un drame permanent dans l'histoire de l'Allemagne – au cours des deux cents dernières années, on a considéré qu'il était typiquement allemand que les Allemands remettent en permanence en question leur identité nationale, et cherchent leur « âme ». Dans ce contexte, il est encore plus étonnant que cette recherche de l'âme de la nation n'ait pas connu de renaissance notable, ni en 1990 ni dans les années écoulées depuis l'unification.

L'effondrement du bloc soviétique, la révolution pacifique dans l'ancienne RDA, et enfin la conquête, par l'Allemagne divisée, de l'unité allemande en un temps très court ont été des événements ressentis au sein de la Communauté, où ils ont déclenché la joie et l'émotion, mais aucune ivresse nationale. En accord avec tous les États voisins, de façon pacifique et sans aucune exaltation nationaliste, un État-nation démocratique s'est créé : l'Allemagne, l'Allemagne de la deuxième chance. Le consensus politique à la base de la république de Bonn était et est antinationaliste. L'État-nation classique se distingue de l'État-nation moderne, qui est caractérisé par l'intégration européenne et n'a plus de venin nationaliste. Les replis sur soi nationalistes et les confrontations guerrières ne sont de fait plus possibles dans l'Europe unie. Pourtant, elle reste constituée d'États-nations : l'État est légitimé par le soin qu'il porte à la nation. On peut donc voir un problème pour l'Europe dans l'absence d'une « nation européenne », à même d'exercer l'autodétermination démocratique d'un État qui représenterait un peuple, et qui justifierait ainsi la légitimité d'un gouvernement européen.

Les représentants de gauche d'un universalisme humaniste sans nation craignaient, après la réunification, de voir renaître le nationalisme. Les attaques de jeunes proches de l'extrême droite contre des étrangers ou des foyers de demandeurs d'asile ont nourri ces craintes. Depuis, la République fédérale a compris qu'il faut visiblement, dans toute société, prendre son parti d'un fond de jeunes extrémistes prêts à la violence. L'attitude de rejet de ces petits groupes de jeunes face à l'État et à la société repose sur le plus grand tabou que connaisse notre société : celui du national-socialisme.

Mais, depuis 1990, aucun mouvement politique de la droite nationale n'a réussi à s'implanter dans le paysage démocratique. Il y a bien eu et il existe encore des tentatives visant à créer une « nouvelle droite » démocratique [32]. Mais elle a surtout pour vocation de s'opposer à « l'interdiction de penser » et au « politiquement correct » de la pensée de gauche dominante, et revendique le droit de parler librement de la nation, de l'amour de la patrie, de la terre natale et de la culture, et souhaite parvenir à limiter l'afflux d'étrangers. Elle inclut aussi des tendances à l'antiaméricanisme, et surtout à l'antioccidentalisme, avec pour conséquence politique le rejet de l'ancrage à l'Ouest de la République fédérale, et le souhait d'un réancrage sur la position centrale de l'Allemagne, entre l'Est et l'Ouest. On s'y situe « à droite », contre « Maastricht » et l'« Euro ».

La « nouvelle droite » constituait et constitue toutefois un cercle restreint de personnes, qui font couler beaucoup d'encre, mais n'ont pas fondé de parti politique, et n'ont pas non plus l'intention d'en créer un. Les tentatives d'« infiltration » du FDP (le parti libéral) ont échoué : le parti anti-Euro, le Bund freier Bürger (la « Fédération des citoyens libres ») n'a aucun espoir d'entrer au Bundestag. En Allemagne, la « droite » n'existe pas en tant que force politique sérieuse. Alors que la gauche politique ne sait trop que faire de la nation, et souhaite la fondre soit dans une Europe unie, soit dans une société multiculturelle, le vaste centre de l'échiquier politique est aussi favorable aux valeurs de l'identité nationale qu'à l'ancrage à l'Ouest de l'Allemagne [33].

Savoir si l'Allemagne est ou non un pays d'immigration s'inscrit également dans le débat sur « l'identité nationale ». Les uns assurent que l'Allemagne n'est pas un pays d'immigration, et veulent dire par là que ce n'est pas un pays ouvert à tous ceux qui désireraient y immigrer, un pays qui serait tributaire de l'immigration, ou qui souhaiterait développer l'immigration. Les autres plaident avec emphase pour une Allemagne terre d'immigration, et signifient ainsi que, de fait, un flux migratoire se dirige vers l'Allemagne, que l'on n'a pas le droit de rejeter tous ceux qui souhaitent immigrer, et que cet accroissement de l'immigration est tout à fait souhaitable. Pour ceux-là, l'avenir est à la « société multiculturelle ». Mais, dans cette discussion, le préalable essentiel, c'est la question du rôle de l'identité nationale : est-elle un anachronisme, ou bien fait-elle partie de l'État européen moderne, comme facteur de différenciation ? Faut-il la surmonter, ou bien est-elle la marque légitime de l'origine des peuples et des hommes et femmes qui les composent ? Les réponses différentes à ces questions façonnent aussi des perceptions différentes d'une Europe unie : l'unification politique doit-elle remplacer à long terme les États-nations, ou, pour le moins, fortement les relativiser, de sorte que l'identité nationale ne soit pas plus marquée que le sentiment d'appartenance à une région ? Ou bien l'Europe est-elle une association d'États qui, certes, abandonnent des souverainetés et agissent ensemble, mais restent les références déterminantes et les repères politiques des gens ?

Le célèbre historien Heinrich August Winkler a reconnu l'erreur commise par les intellectuels (ouest-)allemands, qui pensaient ne pouvoir se représenter l'Allemagne que comme une « démocratie postnationale [34] ». Ce terme incluait une part d'« autoreconnaissance » de la république fédérale d'Allemagne de l'Ouest, qui ne voulait plus se contenter d'être une entité provisoire. Mais « la conviction finalement téléologique, selon laquelle la nation et l'État-nation faisaient partie du passé, était en soi très allemande, et, à y regarder de plus près, elle correspondait à la volonté compréhensible de faire de la nécessité allemande une vertu européenne, et même mondiale ». Qu'est-ce que l'Allemagne aujourd'hui ? Ce n'est ni une démocratie postnationale parmi des États-nations, ni un État-nation souverain classique, « mais plutôt un État-nation postclassique démocratique parmi d'autres, intégré *a priori* dans les communautés supranationales occidentales, l'Alliance atlantique et l'Union européenne ». Même si la solidarité nationale n'est pas la plus haute forme de solidarité, c'est tout de même une étape de la solidarité dont les Allemands non plus ne peuvent pas se dispenser. Ils ne pourraient que susciter le doute s'ils voulaiôt être européens sans être allemands. 1945 n'a pas marqué la fin pure et simple de l'État-nation, mais seulement du *premier* État-nation allemand, prussien, fondé par Bismarck.

Le rôle du patriotisme est régulièrement remis en question en Allemagne. Le patriotisme est-il légitime, ou bien ne franchit-il pas trop facilement le pas qui le sépare du nationalisme ? La question du sens et de la forme du patriotisme est surtout examinée dans le cadre d'une interrogation plus large sur ce qui assure encore la cohésion de notre société moderne, plurielle et libérale. De ce point de vue, le patriotisme est un moyen d'aller vers davantage de solidarité, dans la mesure où il représente avant tout la conscience d'appartenir à une communauté plus grande, de devoir beaucoup à cette communauté et d'avoir donc certaines dettes envers elle. Pas uniquement des droits, mais aussi des devoirs, pas seulement des revendications, mais aussi des services à rendre ; voilà ce qui doit, en vertu de cette acception du patriotisme, caractériser plus que par le passé le rapport de l'individu à l'État. En cela, la discussion rejoint le débat anglo-saxon sur le communautarisme, qui a suscité un écho considérable : une conscience nationale positive, c'est un premier pas vers l'engagement pour une société de liberté.

Il est clair qu'un tel patriotisme n'exclut pas une conscience européenne, mais en est plutôt le complément. L'attachement explicite de la citoyenneté patriote à la liberté et à l'État de droit l'arme contre toute forme de nationalisme ou de collectivisme, et la prédispose à être ouverte sur le monde et donc sur l'Europe. C'est ce que cherche à exprimer le concept de *Verfassungspatriotismus* (« patriotisme constitutionnel », patriotisme vis-à-vis de la constitution). La loyauté vis-à-vis de la patrie est liée aux valeurs fondamentales de l'État de droit, sur lesquelles s'engage l'État. Le « patriotisme constitutionnel » est une formule de Dolf Sternberger [35], reprise au cours des années 1980, surtout par Jürgen Habermas [36]. Mais on y a adjoint une touche antinationale : le patriotisme constitutionnel ne pouvait en effet se référer qu'à la république fédérale d'Allemagne de l'Ouest – donc à un État qui n'était pas un État-nation. C'est pourquoi les adversaires conservateurs ont rétorqué que le patriotisme constitutionnel était trop abstrait et ne créait aucun attachement émotionnel, et n'était donc en fait pas une forme de patriotisme. Bien qu'à travers l'unification l'État allemand et l'État-nation démocratique ne firent plus qu'un, le concept n'est pas revenu à la mode.

Mais Habermas insiste pour élargir le patriotisme constitutionnel et en avoir une acception paneuropéenne. Parce que l'identité politique commune naît de l'attachement commun à des principes caractéristiques d'une culture politique démocratique, beaucoup plus que du souvenir d'un passé culturel commun, il faut justement distinguer l'espace politique de l'espace culturel : l'attitude citoyenne est déterminante pour l'appartenance à une communauté politique, mais pas l'origine culturelle. C'est pourquoi Habermas considère que l'immigration constitue le « test » de l'Europe [37].

On pose assez peu la question des formes futures de notre vie et des valeurs qui doivent marquer notre existence commune en Europe. Comment se comporteront les différentes identités les unes par rapport aux autres ? L'entente entre les gens à l'échelle supranationale est-elle réaliste, alors qu'il n'existe même pas d'« intellectuels européens » ? Walter Reese-Schäfer voit deux possibilités : soit se constitue dans l'Europe unie une identité supranationale dense, soit on voit apparaître une forme d'identité transnationale plus relâchée [38]. Le premier modèle serait analogue à celui de l'État-nation actuel, et nécessiterait donc une étroite cohésion politique. L'avantage de ce modèle, c'est sa grande légitimité démocratique, dès lors que se rejoignent l'unité étatique et l'identité culturelle – selon le modèle de l'État-nation. Le second modèle ne voit dans l'avenir de l'Europe qu'une association d'intérêts économiques, pour laquelle suffit une forme d'identité qui laisse perdurer les identifications nationales actuelles. Toutefois, les intérêts particuliers s'opposeraient toujours – et même de manière accrue – en tant qu'intérêts nationaux, et pourraient aller jusqu'à faire naître le danger d'un nouveau nationalisme, de sorte que l'Europe resterait plus technocratique et bureaucratique que véritablement politique. D'un autre côté, la politique serait plus proche des citoyens, et la spécificité culturelle des nations serait mieux protégée. Reese-Schäfer considère que, dans tous les cas, un patriotisme européen ne serait pas comparable à la puissance mobilisatrice du nationalisme moderne : il constituerait un schéma non pas impétueux, mais fort (*ibid.*, p. 323). À la différence du modèle des « États-Unis d'Amérique », les États-nations sont fortement ancrés dans l'Europe et font à ce titre partie intégrante de l'Union : c'est pourquoi le modèle culturel américain – de l'État-nation – ne peut pas s'appliquer à l'Europe, à laquelle il faut au contraire une forme culturelle postmoderne, un « patchwork des minorités » (p. 324). Si ce n'est pas le patriotisme constitutionnel, quelle sera la substance dont se remplira la conscience nationale allemande ? De quoi les Allemands sont-ils fiers, et à juste titre ? La démocratie est certainement un mot auquel la population allemande est particulièrement attachée, et les Allemands sont fiers de vivre dans un État de droit démocratique qui a maintenant fait ses preuves. La révolution pacifique dans l'ancienne RDA est un élément central de la mémoire collective de la nation. Mais la réussite économique a toujours aussi constitué un aspect important. L'économie sociale de marché de la république fédérale d'Allemagne de l'Ouest a donné une prospérité inespérée à la vaste majorité de la population et a tissé un réseau dense de protection sociale. Dans les sondages, même les jeunes, qui ont plutôt tendance à rejeter l'idée d'une fierté nationale, indiquent qu'ils sont fiers des réussites économiques et des conquêtes sociales de leur pays.

La crise structurelle actuelle de l'économie allemande, la nécessaire rénovation de la protection sociale, qui a atteint ses limites, et l'inquiétude face à l'union monétaire européenne menacent aujourd'hui cette conscience sur plusieurs fronts à la fois. Le prestige dont bénéficiait le concept de « l'économie sociale de marché » a rapidement décru, la mondialisation de l'économie est ressentie comme une remise en question de la sécurité à laquelle on est habitué, et les réductions même minimes des prestations sociales sont rejetées, vilipendées comme l'amorce d'une nouvelle ère de rigueur sociale. On sait bien qu'il est nécessaire de s'adapter à la situation économique, et on est aussi disposé à consentir de nouveaux efforts, mais, plutôt que l'optimisme d'un nouveau départ, on est accablé par le fatalisme face au destin.

Cora Stephan considère, elle, que, « en Allemagne, où même la ressource du " sens de la nation " ne peut pas être mobilisée pour faire passer les contraintes et les obligations, il peut paraître particulièrement regrettable que disparaisse un autre bien, qui pouvait être constitutif d'une identité en Allemagne : le sentiment de faire partie d'une entreprise économique nationale dont la réussite est extraordinaire [39]. » De fait, d'autre pays disposent de quantité de symboles nationaux et ne dépendent pas nécessairement de leur monnaie. En Allemagne, les symboles nationaux sont en rupture avec la tradition : l'identité démocratique de l'Allemagne se doit de s'affirmer *à l'encontre de* l'histoire allemande. Les traditions de la liberté, de la démocratie et de l'État de droit, que l'on trouve naturellement aussi dans l'histoire allemande, ont été interrompues par le national-socialisme de manière tellement radicale qu'il n'est plus possible de tout simplement s'y rallier. « Le Mark, en revanche, est devenu le symbole du redressement réussi à partir des ruines [40]. »

La restriction de l'Euro à son intérêt économique et l'abstraction de son cadre politique confirment de façon tragique un sentiment qui prospère actuellement en Allemagne, sentiment d'impuissance face aux évolutions de l'économie mondiale. La politique semble avoir de plus en plus de mal à maîtriser la dynamique propre des évolutions économiques, et même le cadre général dans lequel évolue l'économie ne semble plus pouvoir être façonné ou modifié par la volonté et l'action politique. Le capital, les entreprises agissant au niveau international, les processus d'autorégulation de l'économie ne sont pas « contrôlables », même leur forme juridique n'est plus aménageable. L'économie du XXIᵉ siècle est-elle « notre destin » ? Comment peut-on concevoir une compensation sociale ? La politique et le social vont-ils devenir secondaires, l'économie primant sur tout le reste ? Les articles et ouvrages publiés en Allemagne expriment largement la crainte de voir la dynamique économique loin devant, et les institutions d'accompagnement – ô combien nécessaires – distancées. C'est cette peur générale face à l'avenir, face à un changement ressenti comme une menace, qui se fixe de manière symbolique sur l'Euro.

Le document de la CDU-CSU affirme, pour l'opinion publique, que le modèle de la réussite allemande, l'économie sociale de marché, deviendra le modèle de l'avenir pour l'économie européenne, puisque l'indépendance de la banque centrale en est l'élément constituant. C'est pourquoi l'Allemagne doit assumer une responsabilité particulière dans la réussite de ce projet. L'acceptation de ce modèle allemand d'indépendance pour la politique monétaire représente pour les pays européens participants à l'union monétaire un changement radical – pour les autres, par rapport à leur ordre économique, et pour l'Allemagne, par rapport à la valeur symbolique élevée du deutsche Mark.

Le journaliste Hans Barbier écrit fort pertinemment [41] : « L'Euro ne sera pas seulement la nouvelle monnaie de l'Europe. Il conduira l'Union européenne aux limites de son expérience de communautarisation de la politique. Aucune des étapes précédentes de l'unification [...] n'a signifié un renoncement à la souveraineté des États membres participants qui soit comparable à ce que représente la communautarisation de la politique financière et monétaire. L'Euro est un instrument économique pour un objectif politique. L'union monétaire doit entraîner l'union politique. » Il s'agit donc d'un grand projet, et les risques d'un échec sont à la hauteur des enjeux de la réussite. Tandis que les autres États européens ne comprennent pas le modèle allemand de « dépolitisation » de l'argent, et doivent s'y familiariser, les Allemands sont saisis par le doute, se demandant si leur modèle sera préservé autant que cela est nécessaire pour qu'il fonctionne. La stabilité de la monnaie européenne ne pourra faire ses preuves que dans l'avenir, selon Barbier, et il est également de la responsabilité des citoyens d'y veiller et de l'exiger. « L'élan de communautarisation de la politique déclenché par l'Euro ne restera pas cantonné au domaine économique. Les souverainetés de tous ordres héritées de nos traditions vont devoir affronter de nouvelles formes de concurrence. Le slogan " pas d'union monétaire sans union politique " pourrait bien réserver encore quelques surprises » !

NOTES

1. Arnulf Baring : *Scheitert Deutschland ? Abschied von unseren Wunschwelten*, Stuttgart, DVA, 1997, p. 250.

2. Ralf Dahrendorf : « Warum Europa ? Nachdenkliche Anmerkungen eines skeptischen Europäers », *in Merkur* (1996), p. 559 à 577.

3. Richard von Weizsäcker : « Der Euro ist der Preis der Einheit », interview dans *Die Woche* du 19 sept. 1997.

4. Friedrich Ernst Jung : « Europa-Politik 40 Jahre danach », *in Außenpolitik III* (1997), 220-227, p. 220.

5. Cf. Karl Lamers : « Der Euro ist mehr als eine Münze », *in Die Zeit*, 37, 5 sept. 1997.

6. Peter Hort : « Deutschland – ein Pflegefall », *in Frankfurter Allgemeine Zeitung*, 26 sept. 1997.

7. Norbert J. Prill : « Euro und Nation », *in Die politische Meinung*, 317 (1996), 5-12, p. 8 ; cf. « Die Allianz der Skeptiker », *in Der Spiegel*, 37 (1997), 22-24.

8. Ernst-Joachim Mestmäcker : « Risse im europäischen Gesellschaftsvertrag », *in Frankfurter Allgemeine Zeitung*, 4 oct. 1997.

9. Ralf Dahrendorf : « Warum Europa ? », *op. cit.*, p. 561.

10. Claus Koch : « Europa ohne Verfassung », *in Merkur* (1996), 10-23, p. 10.

11. Cf. Jörg Winterberg : « Zentralbankunabhängigkeit und Geldwertstabilität in der EU », *in Außenpolitik III* (1997), p. 211-219.

12. Arnulf Baring : *Scheitert Deutschland ?*, *op. cit.*, p. 208.

13. Hans-Ulrich Jörges : « Verschiebt Kohl den Euro ? » *in Die Woche*, 12 sept. 1997.

14. « Die Europäische Währungsunion – Deutschlands Interesse und Verantwortung », de Wolfgang Schäuble, Michael Glos, Rudolf Seiters et Karl Lamers, *in Frankfurter Allgemeine Zeitung*, 17 sept. 1997.

15. Richard von Weizsäcker, *op. cit.*.

16. Peter Graf Kielmansegg : « Wie tragfähig sind Europas Fundamente ? » *in Frankfurter Allgemeine Zeitung*, 17 févr. 1995, p. 13.

17. Hermann Lübbe : *Abschied vom Superstaat. Vereinigte Staaten von Europa wird es nicht geben*, Berlin, Siedler, 1994.

18. Josef Isensee : « Europas Identität besteht in seiner Vielgestalt », *in General-Anzeiger Bonn*, 21 déc. 1995.

19. Cf. Friedrich Ernst Jung, *op. cit.*, p. 222.

20. Helmut Kohl : « Wir haben Grund zu realistischem Optimismus », *in Frei und geeint. Europa in der Politik der Unionsparteien*, Günter Rinsche éditeur, Cologne, notamment Böhlau Verlag, 1997, 317-324, p. 319.

21. Arnulf Baring : *Scheitert Deutschland ? op. cit.*, p. 123.

22. Cf. Friedrich Ernst Jung, *op. cit.*, 223.

23. Cf. « Das Schäuble-Lamers-Papier – Nationale und internationale Reaktionen », documentation de la Fondation Konrad-Adenauer, Sankt Augustin, 1994.

24. « Europa 96. Reformprogramm für die Europäische Union », Gütersloh : Ed. Fondation Bertelsmann, 1994.

25. Friedrich Ernst Jung, *op. cit.*, p. 227.

26. Robert Picht : « Europa – aber was versteht man darunter ? », *in Merkur* (1994), 850-866, p. 850.

27. Walter Reese-Schäfer : « Supranationale oder transnationale Identität – zwei Modelle kultureller Integration in Europa », *in Politische Vierteljahresschrift*, 38 (1997), p. 318-329.

28. Richard Münch : *Das Projekt Europa. Zwischen Nationalstaat, regionaler Autonomie und Weltgesellschaft*, Frankfurt, Suhrkamp, 1993.

29. Claus Koch : « Europa ohne Verfassung », *op. cit.*, p. 11.

30. Cf. Dieter Grimm : *Braucht Europa eine Verfassung ?*, Munich : Fondation Carl Friedrich von Siemens, 1995.

31. Michael Stürmer : « Deutschlands Skepsis gegenüber dem Nationalen – ein Problem bei der europäischen Integration », *in Neue Züricher Zeitung*, 5 janv. 1996.

32. Heimo Schwilk, Ulrich Schacht (éd.) : *Die selbstbewußte Nation. « Anschwellender Bocksgesang » und weitere Beiträge zu einer deutschen Debatte*, Berlin/Francorft s/M., Ullstein Ed., 1994.

33. Cf. Reinhard Göhner : « Die Werte machen den Patriotismus zur Tugend », *in Focus* 25 (1994), 46.

34. Heinrich August Winkler : « Postnationale Demokratie ? Vom Selbstverständnis der Deutschen », *in Merkur* (1997), 171-176.

35. Cf. Dolf Sternberger : *Verfassungspatriotismus. Schriften X*, Francfort s/M., Insel Ed., 1990.

36. Cf. Donate Kluxen-Pyta : *Ethos und Nation. Die Moral des Patriotismus*, Freiburg/München, Ed. Karl Alber, 1991.

37. Cf. Werner Weidenfeld : « Zwischen Einwanderungsdruck und Zuwanderungsbedarf. Zusammenleben in der multikulturellen Gesellschaft », *in Merkur* (1993), p. 940-950 ; cf. Robert Picht : « Europa – aber was versteht man darunter ? », *op. cit.*, p. 862 et suivantes.

38. Walter Reese-Schäfer, *op. cit.*, p. 318 et suivantes.

39. Cora Stephan : « Ambivalenzen », *in Merkur* (1995), 794-803, p. 802.

40. Norbert J. Prill, *op. cit.*, p. 8.

41. Hans D. Barbier : « An der Grenze der Erfahrung », *in Frankfurter Allgemeine Zeitung,* 19 sept. 1997.

LA NOUVELLE CRISE
DE LA CONSCIENCE EUROPÉENNE :
L'Europe politique
entre nation et fédération
Regards français [1]

par Laurent Bouvet

Dans la conclusion de son ouvrage *La Crise de la conscience européenne*, Paul Hazard écrivait : « Qu'est-ce que l'Europe ? Une pensée qui ne se contente jamais. Sans pitié pour elle-même, elle ne cesse jamais de poursuivre deux quêtes : l'une vers le bonheur, l'autre, qui lui est plus indispensable encore, et plus chère, vers la vérité. À peine a-t-elle trouvé un état qui semble répondre à cette double exigence, elle s'aperçoit, elle sait qu'elle ne tient encore, d'une prise incertaine, que le provisoire, que le relatif ; et elle recommence la recherche désespérée qui fait sa gloire et son tourment [2]. » Il évoquait la période charnière de 1680-1715, celle du passage de l'âge classique à celui des Lumières. Aujourd'hui, l'Europe affronte une nouvelle crise de conscience ; celle-ci est avant tout politique.

Pendant longtemps, la question politique européenne a pu être formulée dans les termes d'oppositions simples, entre, par exemple, des régimes politiques et des formes politiques clairement définis et identifiables – cité contre empire, république contre monarchie... – ou encore en fonction de conceptions politiques structurantes des formes nationales – l'opposition caricaturale entre les conceptions de la nation française (celle de la « nation-contrat », « nation révolutionnaire » ou « nation civique » définie en 1789 par Sieyès comme « un corps d'associés vivant sous une loi commune et représenté par la même législature [3] » et en 1882 par Renan comme un « plébiscite de tous les jours ») et allemande (la « nation-génie », « nation romantique » ou « nation ethnique » qui induit la notion d'« âme collective » chère à Joseph de Maistre, héritée de la conception du *Volksgeist* herdérien et exaltée par Fichte dans ses célèbres *Discours à la nation allemande*) en est le meilleur exemple [4].

Aujourd'hui, les termes de la question politique européenne connaissent une nouvelle évolution que l'on peut juger radicale ou inédite, comme le rappelle Jean-Marie Domenach qui annonce en même temps le programme de la construction politique européenne : « Jamais encore on n'avait vu des nations s'associer librement pour former une nouvelle unité politique qu'on a baptisée d'un nom auquel il reste à donner un contenu : Communauté [5]. » C'est la notion de souveraineté qui est au centre du débat en même temps que la forme politique que prendra une démocratie européenne encore largement en devenir – on parle couramment d'un « déficit démocratique » face à la complétude de la dimension économique de la construction européenne. Cette nouvelle interrogation revêt un caractère radical car les notions classiques de la théorie politique qui sont au cœur des préoccupations politiques européennes depuis des siècles : État, nation, fédération, démocratie..., se trouvent profondément remises en question par l'accélération de la construction européenne, en fait de ce qui apparaît de plus en plus comme un espace politique, économique, social, culturel commun aux contours inédits. Ces notions classiques sont du moins sommées de fournir des clés de lecture aux citoyens perplexes d'une Europe qui n'en finit pas de naître à la conscience d'elle-même. Il s'agit bien d'une nouvelle crise de la conscience européenne, dont la politique est le nœud gordien.

Un des symptômes les plus aigus de cette crise est qu'il est désormais difficile d'échapper à la description de la construction européenne dans sa dimension politique sous les catégories du déficit, de l'infirmité, de l'impuissance, de l'échec..., y compris de la part de ceux qui se déclarent en faveur de cette construction [6]. Pour certains, comme Antoine Winckler, « l'hypothèse que la construction européenne constitue une révolution véritable dans nos systèmes d'organisation politique classiques se vérifie de façon spectaculaire à la fois par l'embarras croissant des discours qui tentent son interprétation ou par le fait que celle-ci ne peut être comprise que sur le mode de la crise, de la maladie ou de l'échec [7] ».

La construction européenne est désormais le cadre de deux grands débats [8] : un débat écono-

mique et social (incluant des questions aussi importantes que la monnaie unique, l'Europe sociale, la
protection des frontières extérieures, etc.) et un
débat politique (« déficit démocratique », forme institutionnelle de l'Europe à venir, État-nation ou fédération, répartition des pouvoirs, principe de subsidiarité, etc.). Si le premier débat fait aujourd'hui la une
des journaux compte tenu des échéances de l'Union
économique et monétaire et des tensions créées par
ses enjeux pendant les périodes électorales, le second
débat occupe la plupart des philosophes, historiens,
juristes, etc. qui s'intéressent à la question européenne tout en laissant relativement indifférents les
citoyens malgré l'importance des enjeux. Le caractère spectaculaire de la disparition programmée des
monnaies nationales semble ainsi occulter les enjeux
qui se profilent derrière le débat sur l'avenir politique européen. Les deux questions, socioéconomique et politique, sont pourtant intimement liées ;
ainsi parle-t-on souvent d'une perte de souveraineté
lorsque l'on évoque le passage de la monnaie nationale à la monnaie unique. Souveraineté, État, nation
apparaissent comme les mots clés du vocabulaire du
débat politique contemporain sur la construction
européenne. Dominique Bocquet identifie deux tests
fondamentaux pour l'Europe, ce qu'il appelle « des
carrefours à l'issue quasi définitive. Le premier est le
passage à la monnaie unique. De sa réussite dépend
le couronnement du processus d'Union économique
engagé depuis 1950, c'est-à-dire de ce que l'Europe
a de plus consistant. Le second test sera la capacité

de l'Union européenne à réformer ses institutions avant de s'élargir [9] ».

Face à cette nouvelle « crise de la conscience européenne », face à l'insuffisance d'un processus politique d'autocréation sans réflexion, de nombreux intellectuels se mobilisent et s'interrogent sur le caractère politique de l'Europe, ou plus exactement sur la manière dont on peut aujourd'hui penser politiquement l'Europe. Le renouveau de cette préoccupation politique, après des décennies de construction européenne privilégiant la dimension économique, permet de renouer les fils d'une tradition de la philosophie politique européenne tombée en désuétude. Comme le dit Dominique Schnapper, « nous sommes confrontés à la nécessité de repolitiser le corps social, que ce soit au niveau national ou européen [10] ».

Dans ce contexte intellectuel nouveau – il date des années 1989-1990 –, il peut sembler utile, sans prétendre à l'exhaustivité, de mettre en perspective quelques-unes des contributions françaises les plus suggestives, de confronter les thèses principales qui s'affrontent sur le sujet en insistant sur quelques thèmes essentiels : la place et l'avenir de l'État-nation dans la construction européenne, la notion de souveraineté et ses développements contemporains, la forme des institutions européennes en gestation. La difficulté de l'exercice, tant pour les auteurs qui l'affrontent que pour celui qui tente de rendre compte des débats, est qu'il s'effectue sous contraintes : celles d'une matière en mouvement et d'un sujet insaisissable tant il met en jeu de dimensions. La meilleure manière de répondre à cette difficulté est de suivre le chemin des auteurs participant au débat, animés à la fois par la volonté d'aller à l'essentiel pour servir par leurs réflexions le débat politique contemporain, et par le désir d'universaliser les questions en débat afin de les inscrire dans le cadre plus vaste de l'histoire de la pensée politique. Seuls quelques-uns des auteurs répondant à cette double exigence et intervenant dans le cadre national français – même si ce dernier critère est de moins en moins pertinent, surtout pour les débats intellectuels – seront évoqués ici.

Dans un premier temps, l'étude des différentes manières nationales de percevoir le « déficit démocratique » européen nous permettra de mettre en évidence les traits spécifiques du débat français, afin de comprendre pourquoi le discours « européiste » orthodoxe actuel est insuffisant face aux défis politiques contemporains de la construction européenne et en quels termes la question politique européenne doit être désormais posée pour prendre la mesure de ce défi (première partie). Ce n'est qu'ensuite que l'on pourra suivre la quête intellectuelle française d'un nouveau modèle politique européen, de la nation à la fédération (deuxième partie).

Le déficit politique au cœur de la nouvelle crise de la conscience européenne

La manière la plus courante de parler de la crise de la dimension politique de la construction européenne est d'évoquer un « déficit démocratique ». La difficulté de traiter d'une telle notion est qu'outre qu'elle suscite depuis quelques années une importante littérature théorique, elle n'a pas la même signification dans tous les pays européens. Avant de voir comment cette notion est interprétée par les différentes traditions politiques européennes, et surtout comment le débat français sur le déficit démocratique conduit à une interrogation de plus grande ampleur sur l'avenir de l'État-nation et sur la question de la souveraineté, nous préciserons simplement, à l'aide de quelques auteurs français, l'esprit dans lequel est évoqué le déficit démocratique en France. Ainsi Dominique Schnapper rappelle-t-elle « [qu']il s'est creusé ce que l'on appelle dans la vie politique un " déficit démocratique " au niveau européen. Ce qui veut dire que les institutions européennes pénètrent chaque jour davantage la vie de nos sociétés [...], que cette européanisation s'est faite sans que les peuples aient eu le sentiment de vraiment y participer. La pratique démocratique est restée attachée à l'échelon national, en dépit du progrès des institutions européennes. La volonté démocratique continue de s'exprimer au niveau national. Les élections européennes demeurent avant tout des élections nationales, malgré les dispositions du traité de Maastricht. Du coup, le mouvement démocratique dans l'espace public européen risque de prendre la forme d'une révolte populaire, ou populiste, contre un processus auquel les citoyens de l'Europe ont le sentiment de ne pas avoir pris part [...] la dimension européenne existe, mais sans être accompagnée de véritables pratiques démocratiques [11] ». Laurent Cohen-Tanugi juge, pour sa part, le discours sur le « déficit démocratique » comme le reflet d'un paradoxe : « Alors que la construction européenne s'est opérée sous le signe de l'attachement des peuples à la démocratie, cette forme politique inédite est dépourvue d'un pouvoir propre et elle n'est pas une nation. Elle est ainsi, à bien des égards, un objet politique inédit [...]. L'Europe communautaire présente [...] ce paradoxe de s'identifier à la démocratie, voire de prétendre en incarner une conception spécifique [...] tout en vivant cette dernière sur le mode de l'aliénation, plus ou moins vivement ressentie selon les spécificités nationales, mais aggravée par l'absence d'explicitation – donc de prise de conscience du problème [...]. Comme tout problème non énoncé, l'altérité politique de la Communauté par rapport à ses États membres a trouvé une expression confuse, mais hautement significative, dans la dénonciation de son déficit démocratique dont le retentissement constitue pour l'avenir un des défis politiques les plus sérieux lancés à la construction européenne [12]. »

DU DÉFICIT DÉMOCRATIQUE AU DÉFICIT POLITIQUE :
LA SPÉCIFICITÉ DU DISCOURS FRANÇAIS
FACE À LA QUESTION POLITIQUE EUROPÉENNE

On peut identifier trois grands discours types sur le « déficit démocratique » européen qui reflètent trois grandes traditions politiques : la critique anglaise qui se concentre sur l'absence de responsabilité devant le peuple européen (*democratic accountability*) des institutions européennes, notamment de la Commission en tant qu'organe exécutif : « Il ne peut y avoir de démocratie sans responsabilité. Dans un système démocratique, quelqu'un doit toujours être capable d'utiliser la devise de Harry Truman " *the buck stops here* (la responsabilité commence ici) " ; les décideurs doivent être interrogeables et en mesure d'être démis par ceux au nom de qui les décisions sont prises. Dans le système de la Communauté, nul n'est questionnable sur rien. La responsabilité n'est jamais en question ; elle est occultée par un processus sans fin de consultation et de négociation [13] », la Commission est fréquemment décrite comme « non élue et largement irresponsable [14] », mais les deux autres institutions du « triangle institutionnel », le Conseil des ministres et le parlement européen, sont également mis en cause en termes de « *democratic accountability* [15] ». La critique allemande (voir la décision de la Cour constitutionnelle fédérale de Karlsruhe du 12 octobre 1993, « *Die Maastricht Urteil* », qui a suivi en cela une voie proposée par de nombreux constitutionnalistes allemands [16]) insiste sur l'impossibilité de l'existence d'une démocratie véritable sans « *Volk* » (peuple) européen identifié et constitué, en fait sur l'idée que toute entité politique constituée doit s'appuyer sur une certaine homogénéité culturelle. La critique française enfin, qui nous intéresse principalement ici, dont le cœur est l'interrogation sur l'avenir de l'État-nation, et que Schnapper formule ainsi : « [l']insuffisance de l'espace démocratique au niveau européen soulève d'une façon plus vive la question du dépérissement de la nation politique et explique la polarisation du débat politique dans la France d'aujourd'hui [17] ». On voit, à travers ces trois préoccupations, affleurer des conceptions nationales différentes de la démocratie et, plus largement, de la politique. On comprend mieux également, à la lecture des débats sur le déficit démocratique qui ont lieu dans les différents pays européens, combien il est difficile d'en parler ensemble au niveau de l'Union, voire que les différentes formes que pourrait revêtir cette Union sont très variables d'un pays à l'autre.

L'accent mis par les auteurs français contemporains sur l'État-nation et sur la question de sa survie dans le cadre européen conduit tout droit à une réflexion sur la vieille notion politique de souveraineté dont la compréhension est traditionnellement liée à celle de l'État-nation. Pour Schnapper, « ce qui paraît central, c'est que la nation moderne est en premier lieu une forme particulière d'unité politique. En ce sens, comme toute unité politique, elle se définit par sa *souveraineté*, à l'intérieur, pour intégrer les populations, et, à l'extérieur, en affirmant son existence par rapport aux autres unités politiques [18] ». C'est à partir de cette notion que l'on peut le mieux comprendre la spécificité du débat intellectuel français sur la construction politique de l'Europe. La peur d'une perte de souveraineté de l'État-nation au profit d'une entité politique dont on ne perçoit pas encore les contours, et pour tout dire la nature véritable, tant elle apparaît inédite, est la pierre angulaire des principales contributions récentes au débat.

Celui-ci s'organise ainsi autour de deux positions de principe, qui, on le rappelle, estiment indispensable le rattrapage politique de la construction européenne : une première position hostile à tout transfert de compétences et de pouvoirs au niveau européen tant que celui-ci n'est pas clairement identifié politiquement, tant qu'il n'a pas été défini démocratiquement par l'ensemble des peuples européens volontaires pour cette construction, une seconde position favorable à ce transfert sans attendre une clarification préalable de la situation politique européenne, celle-ci pouvant se faire peu à peu, au fur et à mesure de la répartition de la souveraineté entre les différents niveaux de compétence. Il s'agit d'une opposition entre « d'un côté, [ceux] qui défendent la nation, pour la raison justifiée par les faits, que c'est à son niveau que s'exprime encore la volonté politique, que la construction européenne risque d'affaiblir encore [...]. [D'un autre côté, ceux qui], au nom d'un libéralisme bien compris, rappellent qu'il faut construire l'Europe pour que les Européens gardent leur prospérité matérielle et conservent une chance de jouer un rôle véritablement politique dans le monde contemporain [19] ». Ces deux positions ne sont pas défendues avec la même vigueur, la seconde apparaissant comme celle qui domine actuellement la construction européenne ; elle est essentiellement défendue par les techniciens de cette construction au nom du pragmatisme, de la conformité à la méthode des fondateurs, notamment à la « méthode Monnet » – cf. *infra* –, et des réussites de la construction européenne jusqu'à aujourd'hui – de l'éradication des risques de guerre entre les États européens membres de l'Union à l'édification du grand marché commun –, alors que la première est le fait d'intellectuels et de professionnels qui ne sont pas liés directement au processus européen et dont la préoccupation principale reste le couplage entre le niveau de décision politique et la légitimité démocratique de ce niveau institutionnel. Si la seconde position est bien connue, et largement diffusée par les institutions européennes, en revanche la première est moins facile à percevoir. Elle renvoie d'ailleurs à un certain nombre d'auteurs qui sont loin d'être d'accord entre eux. Car, s'ils rejettent effectivement l'idée dominante d'une construction politique dérivée de la construction économique [20], et qu'ils militent intellectuellement pour une réflexion sur la nature du lien politique européen et son rapport à la démocratie, ils n'en présentent pas moins des analyses, voire des solutions, différentes. Nous nous inté-

resserons donc prioritairement à cette position intellectuelle au contenu varié après avoir rappelé
brièvement les principales articulations du discours
dominant.

LE DÉFICIT POLITIQUE EUROPÉEN
COMME SIMPLE RETARD MÉCANIQUE SUR LE DÉVELOPPEMENT
DE LA DIMENSION ÉCONOMIQUE DE L'UNION

La première réponse au déficit politique européen, celle avancée aujourd'hui par les défenseurs
des institutions européennes telles qu'elles existent
et fonctionnent, consiste à expliquer le retard de
développement politique de l'Union européenne
par un décalage naturel avec la construction économique, conformément à l'intention fondatrice de
Jean Monnet et de sa méthode progressive. Les
petits pas de l'intégration économique européenne
devant conduire mécaniquement à l'intégration
politique. Dans cette perspective, la politique est
une dimension subordonnée à l'économie, moteur
de la construction européenne. Cette approche est
bien connue car souvent exposée et souvent critiquée, nous n'en donnerons ici qu'un résumé en
suivant un de ses meilleurs défenseurs, Dominique
Bocquet.

Pour cet auteur, « l'infirmité politique » de
l'Europe tient à deux facteurs : aux nations, d'abord,
qui n'ont pas consenti à l'Union européenne les
moyens des ambitions politiques qu'elles ont affichées dans le traité de Maastricht ; ensuite, au fait
qu'il n'existe pas ou pas encore (réalité bien plus

fondamentale) de peuple européen. La question
peut donc se résumer ainsi : « Comment étendre à la
sphère politique la dynamique européenne qui s'est
manifestée dans la sphère économique [21] ? » Si l'on
peut observer une différence qualitative entre les
deux sphères, il convient malgré tout de ne pas trop
les distinguer, il s'agit en effet de « deux mondes »
pas totalement étrangers l'un à l'autre, puisqu'ils ont
chacun pour but ultime de dégager un « intérêt
commun » – toute solution politique doit s'appuyer
sur les acquis de l'Europe économique : l'expérience
de l'Union comme jeu à somme positive, l'existence
d'institutions et d'équilibres éprouvés, etc. La différence notable entre les « deux mondes » vient du fait
que, dans la sphère économique, les « forces du
marché » ont joué en faveur de l'unification, contraignant les pays membres au rapprochement sans qu'il
y ait besoin d'une discussion préalable « qui aurait
été *théoriquement* nécessaire [22] », alors que, dans la
sphère politique, il est impossible de faire l'économie
à la fois de ce débat préalable et d'une période suf-
fisamment longue pour que les points de vue se rap-
prochent sur « des points d'application réalistes [23] ».
Ainsi, par exemple, le cœur de la dimension politique que représente la politique étrangère, dont la
gestion des crises internationales est une des expres-
sions les plus pointues, n'est-il pas le meilleur terrain
d'exercice pour une démonstration de l'unité européenne (cf. l'exemple de l'ex-Yougoslavie) ?

Techniquement, la question politique posée à
l'Europe se transforme, elle devient : comment subs-

tituer au « ressort libéral » (celui du primat de l'économie) qui n'est plus pertinent « une ambition collective, une capacité de projection dans l'avenir [24] » ? Le renforcement des institutions européennes est une première réponse, même s'il s'agit d'un processus de long terme et largement incertain tant qu'on n'indique pas la direction dans laquelle il doit avoir lieu – cf. *infra*. Pour Bocquet, la substantialisation de la politique européenne est une deuxième réponse. Il s'agit de redonner du « sens » à la construction politique en relançant, par exemple, la relation franco-allemande, celle-ci « [représentant] en effet l'un des rares "gisements de sens" de la construction européenne, tant sa place est singulière dans l'histoire et tant elle a changé la donne géopolitique de l'Europe ». C'est le caractère direct, bilatéral, sans institution de médiation et la « force symbolique » du couple qui permet son efficacité, « à ce titre elle peut servir de correctif au caractère trop désincarné des institutions européennes [25] ».

Bocquet estime que c'est la « mondialisation » qui est responsable de la perte de souveraineté des pays européens, économiquement du moins, et le rôle central des États-Unis depuis la Seconde Guerre mondiale, politiquement – depuis la crise de Suez en 1956, notamment, qui a confirmé la perte de puissance de la Grande-Bretagne et de la France. Sur la base de ce constat, la construction européenne s'assimile davantage à un moyen pour les pays membres de l'Union de retrouver une influence au niveau international, de regagner du pouvoir politique ensemble – comme dans le cas des négociations engagées avec les États-Unis à propos de la répartition des pouvoirs au sein de l'OTAN –, alors que, prises isolément, les nations européennes ne sont plus capables de peser efficacement, ni économiquement ni politiquement, sur le cours des affaires mondiales. Ainsi, par exemple, « en faisant front commun au GATT, les Européens sont[-ils] parvenus à imposer aux États-Unis des concessions ou des revers commerciaux inimaginables autrement : gains européens sur les marchés agricoles, succès d'Airbus et d'Ariane, exception culturelle... La France est le pays qui a le plus bénéficié de cette logique, car la construction européenne lui a permis de sortir en bon ordre du protectionnisme, d'autant qu'elle a su nouer avec l'Allemagne une relation d'émulation à laquelle elle doit une partie de sa modernisation [26] ».

La défense orthodoxe de la construction européenne, telle qu'elle *est* aujourd'hui, présentée par Bocquet – défense qui ne nie pas, comme on l'a vu, un certain retard politique – s'illustre symboliquement par le jugement selon lequel ce n'est pas l'Union européenne qui a montré son impuissance dans le cas du conflit en ex-Yougoslavie, mais les États membres eux-mêmes. Il s'agit d'une manière de voir l'Europe essentiellement comme un modèle de développement économique, dans lequel la dimension politique est subordonnée. Subordonnée à la réussite économique – il ne faut pas s'étonner des difficultés politiques rencontrées lorsque l'économie européenne subit une crise, par exemple – et subordonnée à la méthode économique, celle du marché et de son ouverture croissante. Cette approche mécaniste ne prend pas en compte la spécificité irréductible des deux dimensions économique et politique de la construction européenne. En passant à côté de cette différence radicale qu'il y a entre les deux questions socioéconomique et politique que l'on évoquait en introduction, l'approche « européiste orthodoxe » biaise l'analyse de la crise de la dimension politique actuelle, elle ne lui donne pas sa juste mesure, elle en fait une difficulté passagère, conjoncturelle, alors que ce qui est en jeu semble plus profond. L'enjeu politique européen engage désormais les notions essentielles que sont la souveraineté, l'État-nation et la démocratie. C'est autour de ces notions que se concentrent les débats les plus vifs et les plus suggestifs aujourd'hui, sans doute parce que l'avenir économique de l'Europe semble déjà joué, sans doute aussi parce que les citoyens des pays européens savent qu'ils seront directement engagés dans la redéfinition de leur espace politique, parce qu'ils savent qu'ils peuvent encore décider de ce que sera l'Europe politique à venir.

LA SOUVERAINETÉ EN QUESTION : LA THÈSE DE LA DOUBLE IMPUISSANCE CORRÉLATIVE

Certains parmi les critiques de la « position orthodoxe » qui vient d'être rapidement décrite, notamment dans la gauche radicale européenne, font assaut de simplisme en dénonçant la priorité de la dimension économique dans la construction européenne sans aller au-delà de ce qui n'est finalement qu'un constat d'évidence. Même si le constat est vérifié, l'idée d'un déficit politique européen doit être approfondie, ne serait-ce qu'afin d'entrevoir une perspective de rétablissement de la dimension politique – et démocratique – de la construction européenne. Pour aborder un sujet aussi vaste, il paraît utile de partir de la notion de souveraineté et d'une analyse aussi fine que possible de son articulation aux institutions européennes actuelles. La thèse de la « double impuissance corrélative » défendue par Béla Farago permet de comprendre l'enjeu essentiel du débat tout en préservant la possibilité d'y apporter des réponses différentes, comme on le verra ensuite.

Si l'on suit cette thèse, la construction européenne serait néfaste aux États qui y participent parce qu'elle leur enlève des pans entiers de compétences, de prérogatives et de pouvoirs en les contraignant par des critères de convergence de plus en plus stricts, mais les États eux-mêmes seraient également néfastes à la construction européenne en empêchant l'entité commune de s'affirmer comme une véritable puissance politique. Farago résume sa thèse d'une formule lapidaire : « L'Europe est malade de ses nations comme les nations européennes sont malades de l'Europe [27]. »

L'Union européenne n'est pas assez cohérente – *i.e.* manque d'une véritable souveraineté – pour agir comme une entité politique à part entière, elle est un « non-être politique ». Or les nations perdent de plus en plus de leur souveraineté au profit de cet

« objet politique non identifié », selon la célèbre expression de Jacques Delors, ce qui crée un malaise politique dont les répercussions se font sentir à travers l'europessimisme d'une part croissante des populations européennes. Il y a à la fois un sentiment d'impuissance nationale et un sentiment d'insuffisance européenne. Face à une demande politique qui reste largement nationale, tant symboliquement que pratiquement, l'offre nationale est de plus en plus réduite, tant en quantité qu'en profondeur. Les réponses appartiennent de plus en plus à l'entité européenne qui ne semble pas avoir les moyens de les fournir, et qui surtout ne dispose pas d'une légitimité suffisante pour se les approprier ; l'absence de souveraineté européenne allant de pair avec l'absence de citoyenneté européenne. Si l'Union européenne apparaît de manière caricaturale comme une puissance gestionnaire tatillonne, avec un droit de regard sur des points de détail de la vie quotidienne des Européens, elle apparaît également comme une machine politique lourde et balbutiante incapable de tracer les grandes lignes de l'avenir continental. « Le contraste devient donc extrêmement choquant entre l'omnipotence gestionnaire d'une Europe envahissante, bureaucratique et médiocre, s'arc-boutant sur les détails matériels les plus futiles, et son impuissance politique qui, malgré le traité de Maastricht instituant une " politique étrangère et de sécurité commune " (titre V), reste incapable de toute action efficace (notamment dans le cas de l'ex-Yougoslavie) [28]. »

Il convient dès lors de parler plus de déficit politique que de déficit démocratique, car ce qui est en jeu n'est pas une simple affaire de démocratisation, mais la notion de souveraineté elle-même. La souveraineté est ce qui permet à une entité politique de passer du statut d'*objet* politique à celui de *sujet* politique en ajoutant à la dimension constitutive de celle-ci la légitimité – cf. *infra* le développement sur le concept de souveraineté dans l'histoire de la pensée politique. Elle est en effet toujours attribuée à un sujet souverain, à la fois incarnation de la collectivité et titulaire empirique du pouvoir.

Or l'Europe apparaît comme un « non-être politique » ; elle n'est qu'un « corps fictif », elle manque donc de l'une des deux dimensions essentielles – le « corps mystique » – décrites par Ernst Kantorowicz dans *Les Deux Corps du roi*. Farago avance même qu'elle n'est qu'une organisation internationale comme une autre. L'Union européenne ne possède en effet aucun des attributs classiques de la souveraineté, seul véritable test de l'existence politique. Elle ne semble d'ailleurs pouvoir accéder à la souveraineté ni comme entité prépolitique naturelle ni comme entité artificielle volontariste créée par les États européens. Ces deux voies classiques de constitution politique étant fermées, l'Europe ne peut être autre chose qu'un vaste marché commun appuyé sur une réalité géographique et culturelle particulière. Cette approche rejoint par certains aspects celle déjà évoquée de l'absence d'un peuple européen – critère naturaliste – mise en avant par les juristes allemands ainsi que celle, également évoquée, du manque de volonté des États dans la construction d'une Europe politique. Elle renforce le constat selon lequel la « méthode Monnet » visant à créer une réalité politique européenne à partir de l'accumulation de « solidarités de fait » dans les domaines économique, juridique et technique aurait échoué dans ses ambitions politiques alors qu'elle a réussi économiquement. Paul Thibaud désigne cette manière de faire l'Europe comme un processus « quasi hégélien » puisque « les microdécisions, avatars et compromis contribuent cumulativement à la réalisation de l'Idée [29] ». Farago va plus loin en estimant qu'elle est aujourd'hui totalement dépassée – si elle fut à un moment pertinente politiquement tant elle semble méconnaître la « généalogie politique » : « L'accumulation "quantitative" des solidarités sectorielles de l'espace européen ne fera jamais, en effet, basculer l'ensemble ainsi échafaudé dans la sphère "qualitative" de l'existence politique [...] l'accumulation "primitive" des réglementations imposées par la technocratie européenne "militante" ne parviennent pas à déclencher le phénomène politique de la cristallisation fédératrice [...]. L'empilement des liens matériels ne crée donc aucune "dynamique évolutive" pouvant donner naissance, de façon miraculeuse et par un accouchement de l'histoire devenu enfin "sans douleur", à une réalité fédérale authentique [30]. » Au regard du droit international, l'Union européenne reste ainsi un sujet dérivé puisqu'elle n'existe que par la somme de volontés étatiques

convergentes, par la volonté commune ou coordon-
née des parties signataires des traités européens. On
peut ainsi s'interroger sur son identité politique : elle
n'est ni une république, ni un empire, ni un
royaume, ni un État fédéral... Le signe principal de
ce défaut de souveraineté est qu'en ce qui concerne
la plupart des décisions intéressant les matières essentielles de l'identification politique : la politique étrangère, la sécurité, la justice, etc., l'Union européenne
conserve un fonctionnement selon la règle de l'unanimité. Elle reste donc liée par la souveraineté des
États qui la composent. Elle apparaît comme la juxtaposition de souverainetés nationales sans qu'il y ait
superposition d'une souveraineté européenne. Elle
est une *associatio*, pas une *consociatio*.

Le parlement européen, qui pourrait faire figure
de représentation de l'expression d'un sujet souverain européen, est en fait, tant par sa représentativité
que par les pouvoirs dont il dispose, « plus éloigné
encore du modèle d'une assemblée souveraine que
l'Union européenne ne l'est de la souveraineté [31] ».
Sa représentativité reste nationale, les débats qui ont
lieu lors des « élections européennes » – en fait des
élections nationales concomitantes – sont essentiellement nationaux, et les pouvoirs dont il dispose sont
faibles, bien qu'ils soient accrus dans le traité d'Amsterdam – ils ne portent que sur le pilier communautaire, en ce qui concerne les deux autres piliers, ils
sont quasi inexistants, comme l'indiquent les
articles J-7 et K-6 du traité de Maastricht.

On peut même aller plus loin dans l'analyse en

considérant l'Union européenne telle qu'elle est officiellement présentée aujourd'hui comme « une contrefaçon politique ». Elle serait le produit de ce que Farago appelle « une volonté autonome, une *quasi-souveraineté* mise en œuvre par un organe qui remplit les fonctions d'un *pseudo-souverain* européen [32] ». La construction artificielle de cette « quasi-souveraineté » permet la justification des politiques menées directement par l'Union européenne au nom des États membres. Cette perversion de l'idée de souveraineté se perçoit notamment à travers les effets directs du droit dérivé européen. En effet, les règles juridiques émises par l'Union européenne ont des effets directs dans les différents pays de l'Union ; or l'extension des décisions prises à la majorité qualifiée conduit à imposer des règles à des États que leurs représentants n'ont pas votées, alors même que la désignation de ces représentants reste nationale, qu'il n'y a de légitimité politique que nationale. Ainsi, alors que nombre des pouvoirs propres de l'Union européenne sont des pouvoirs quasi souverains, ils échappent au contrôle démocratique d'un souverain européen qui n'existe pas et ils émanent de pouvoirs nationaux transférés, voire « kidnappés » aux États membres – par les méthodes d'interprétation extensives du juge européen notamment, cf. *infra*. Il manque surtout à l'Union européenne, et principalement à la Commission détentrice véritable de la quasi-souveraineté européenne – en tant qu'institution qui formule les décisions proposées au Conseil –, un des traits essentiels de la souveraineté, celui de la légitimité démocratique, c'est-à-dire de la légitimité externe – alors qu'elle possède le pouvoir réel puisqu'il « lui suffit d'obtenir, au coup par coup, et à l'issue d'obscurs marchandages confidentiels, la majorité qualifiée dans l'un des multiples démembrements du Conseil des ministres [33] ». Cette critique rejoint celle de David Marquand lorsqu'il écrit que la Commission « a des fonctions hautement politiques, mais pas de base politique. Les commissaires agissent comme s'ils étaient membres d'un gouvernement responsable [...] ils répondent à des questions et participent à des débats au parlement européen, comme de véritables ministres au parlement [...]. Mais tout cela n'est que faux-semblant. Si quelquefois certains commissaires ont eu une carrière politique distinguée avant d'arriver à la Commission, leurs capacités en qualité de membres de la Commission en font avant tout des hauts fonctionnaires, non des hommes politiques. Ils ne sont élus par personne et ne représentent personne. Leur autorité, qui est souvent considérable, est personnelle, non représentative : technique, non politique [34] ». Cette critique résonne également des accents gaullistes raillant la « technocratie européenne » : « On s'enferme dans des comités. On élabore des techniques. On se réunit entre augures intéressés [35]. »

Ainsi la « mise en commun » de compétences souveraines par les États membres de l'Union conduit-elle à une dépolitisation de la construction européenne. En changeant de cadre et d'échelle, la souveraineté change aussi de nature, elle perd sa dimension de légitimation pour ne conserver que celle de pouvoir absolu. On assiste à un véritable « fédéralisme à l'envers » dans lequel les États gardent les pouvoirs souverains essentiels traditionnels, alors que le niveau fédératif s'intéresse à la gestion des problèmes quotidiens et aux matières intéressant la société civile.

L'interrogation sur la souveraineté telle qu'on vient de la présenter débouche sur deux types de réponses théoriques qui sont aujourd'hui les deux grandes contributions intellectuelles françaises au débat sur le déficit politique européen. L'une privilégie le maintien du cadre classique d'analyse et le réinvestissement politique de la nation comme modèle politique européen spécifique, l'autre privilégie l'édification d'une Europe fédérale en appelant à briser le cadre d'analyse actuel, trop étroit compte tenu du nouveau défi politique européen et en s'appuyant sur une tradition européenne antérieure à la nation, la fédération.

De la nation à la fédération : l'Europe en quête d'un nouveau modèle politique

Le point de rupture auquel est arrivée la construction européenne aujourd'hui commande d'aller au-delà des constats désabusés et des discours officiels convenus sur l'avenir politique de l'Europe. Le caractère inédit de l'assemblage institutionnel de nations séculaires pour former « une union plus par-

faite [36] » conduit à interroger plus radicalement
encore que par le passé des catégories politiques elles
aussi séculaires. Deux modes de questionnement
dominent aujourd'hui cet « approfondissement » de
la réflexion française sur l'Europe politique présente
et à venir : le premier en appelle à la nation comme
absolu de la souveraineté dans les limites des États
traditionnels, en se référant à la tradition politique
européenne née au sortir du Moyen Âge et en vou-
lant en rénover les concepts sans en changer les fondements essentiels ; le second milite pour le renver-
sement de cet ordre conceptuel au nom de son
insuffisance, voire de son incapacité à penser la radi-
calité du tournant politique actuel, il invite à se
défaire du concept vieilli de l'État-nation souverain.
C'est à ce combat théorique dont les répercussions
pratiques ne sont pas pour rien dans sa virulence que
l'on va s'intéresser maintenant, en insistant sur les
arguments les plus tranchants mis en avant par les
défenseurs des deux approches : celle qui fait de la
nation un indépassable « lieu politique » et qui juge
la fédération impossible pour l'Europe, et celle qui,
en prônant l'abandon des références classiques, joue
la carte d'une approche fédérale renouvelée et adap-
tée à la construction européenne.

LA NATION COMME MODÈLE POLITIQUE INDÉPASSABLE

Pour les auteurs français contemporains qui
s'inquiètent de l'avenir de la nation dans la construction européenne, l'idée selon laquelle on pourrait

distinguer une « dimension proprement civique ou politique [qui] s'établirait au niveau européen, tandis que l'ethnique ou le culturel resterait au niveau des anciennes nations ; la souveraineté [devenant] européenne, les solidarités élémentaires [restant] nationales [...] paraît être une vue de l'esprit, séduisante mais – malheureusement – peu réaliste[37] ». Cette idée critiquée tant par Dominique Schnapper que par Paul Thibaud[38] est défendue notamment par Jean-Marc Ferry qui suit sur ce point le philosophe allemand Jürgen Habermas ; pour Ferry, la construction européenne permettrait de « dissocier clairement entre l'ordre juridique de la communauté politique et l'ordre culturel, historique, géographique des identités nationales », l'identité serait ainsi détachée de l'appartenance nationale et pourrait se « construire sur les principes d'universalité, d'autonomie et de responsabilité qui sous-tendent les conceptions de la démocratie et de l'État de droit[39] ». À partir de ce moment-là, aux yeux des tenants de la thèse nationale, opposés à cette dissociation ou à ce décalage entre « l'espace du sentiment identitaire et l'espace des échanges et des règles[40] », « il existerait un véritable danger à ce que soient retirés aux nations les instruments de la volonté politique, si, en même temps, on ne les transférait pas au niveau réellement européen : qu'il n'y ait plus *aucune* volonté politique, ni au niveau national ni au niveau européen ; le danger qu'on en revienne aux passions mal contrôlées, liées à des identifications exclusives à des communautés ethnico-

religieuses, sans qu'elles puissent être contrôlées par
la rationalité de la citoyenneté, quel que soit son
niveau d'expression [41] » ; et même si la dissociation
proposée par Habermas et Ferry est possible, elle ne
semble pas conduire à autre chose qu'à un « État
mondial, les principes d'universalité n'appartenant
en propre à aucun continent. Au mieux, l'Europe
construite sur cette base serait la matrice d'une mon-
dialité organisée, donc une organisation de nations,
une régulation et non une communauté politique
délimitée. À fonder l'Europe hors de toute culture
particulière, on ne la fonde pas comme nation, fût-
ce une " nation de nations " [42] ». On ne peut enlever
la dimension civique à la nation en la transférant
autoritairement au niveau européen, en renvoyant la
nation à ses racines ethniques, « la nation moderne
est, dans son projet caractéristique, essentiellement
civique. [Même si] elle prend dans chaque nation
des formes singulières en fonction du projet politique qui est à l'origine de son existence. L'histoire
des nations européennes illustre cette variété. Il est
très difficile d'importer un modèle étranger, et particulièrement ce qui fait sa vertu. Le modèle français,
comme le modèle anglais, a ses vertus, et, bien
entendu, ses limites spécifiques, mais il est peu pro-
bable qu'on puisse le remplacer par un modèle
emprunté à une autre tradition sans remettre en
question ce qui fait sa force [43] ». Cela évoque la définition que donnait Raymond Aron de la nation qui
selon lui désignait, depuis la Révolution française,
« une espèce particulière de communauté politique

[...] où les individus ont, en grand nombre, une conscience de citoyenneté et où l'État semble l'expression d'une nationalité préexistante [44] ».

Sur la question de savoir si la nation n'a pas représenté seulement un moment de l'histoire européenne et si elle est remplaçable par quelque chose d'autre, on peut noter, avec Ernest Renan, que « les nations ne sont pas quelque chose d'éternel. Elles ont commencé. Elles finiront. La confédération européenne les remplacera », ce que Schnapper reprend de manière pessimiste en conclusion de son ouvrage de 1994 : « Les Européens avaient assisté au XVIIIᵉ siècle à l'affaiblissement de la forme monarchique, mal armée pour répondre aux nouvelles aspirations des peuples ; il n'est pas exclu qu'aujourd'hui la forme politique nationale s'épuise [45]. » Aux yeux des tenants de la thèse nationale, « ce qu'on peut dire, c'est que la démocratie à l'époque moderne s'est formée dans le cadre national et que, jusqu'à présent, c'est dans le cadre national qu'elle s'est exercée. Jusqu'à aujourd'hui, seule la nation politique a répondu à l'aspiration proprement démocratique des hommes à voir reconnue l'égale dignité de tous. La communauté des citoyens a toujours été une communauté nationale [...]. On peut considérer, à l'instar de Renan, que le civisme et la démocratie pourront un jour avoir pour cadre la Communauté européenne. [Pourquoi] n'existerait-il pas un jour une communauté des citoyens à un niveau plus élevé, [...] au niveau européen. La volonté de réconcilier les Allemands et les Français qui était à l'origine du projet européen est une noble ambition [46] ». Le modèle serait donc celui d'une nation européenne, ce qui permettrait de ne rien abdiquer de la dimension proprement politique – civique – de la nation au niveau européen. Mais, pour ce faire, il faut que l'Europe gagne le statut de projet véritablement politique, qu'elle soit perçue comme une « communauté de citoyens » possible, qu'elle acquière ce qui lui manque aujourd'hui, c'est-à-dire une âme nationale ou une volonté de défendre un idéal, celui de la liberté par exemple. « À partir du moment où le transfert de souveraineté n'est plus justifié par la volonté de défendre une société de liberté, il paraît douteux que des nations chargées de siècles d'histoire puissent entrer, sans volonté politique explicite des peuples qui les composent, sans projet politique commun, dans une association aussi contraignante que l'Europe de Maastricht. Autant que la nation, le projet européen est en crise. Le "modèle républicain" français, dans ses formes d'application concrètes, doit s'adapter à l'évolution des sociétés modernes démocratiques, mais les Européens ne devraient pas oublier son inspiration première : le lien politique doit être prépondérant pour organiser une société juste [47]. »

Même si l'on acceptait le principe de la dissociation, il resterait un argument déterminant pour justifier la nation comme cadre de référence politique, celui qui consiste à penser qu'un débat sur les valeurs, sur des décisions graves, c'est-à-dire qui ne se réduise pas à la technique « suppose un niveau d'intercompréhension, d'acceptation réciproque, de connivence qui n'est pas facilement atteint par des gens de cultures différentes [48] ». La politique pratiquée hors d'un cadre de référence culturel commun conduit à une approche diplomatique, consensualiste ou de constant marchandage qui annihile le pouvoir central au profit des entités homogènes participantes – Thibaud cite le cas de la Suisse comme exemple de ce phénomène, avec ses entités locales fortes et sa politique étatique neutre [49]. Il rejoint, à partir de ce point de vue « homogénéiste », l'argumentation développée par Dominique Schnapper (cf. *supra*) lorsqu'il avance qu'« un des effets probables d'une vie politique qui ignorerait les conditions de l'intercompréhension culturelle serait non seulement de priver la vie politique de certaines ressources morales, mais aussi de laisser en les marginalisant les appartenances ethnoculturelles à l'état brut, comme des passions naturelles. L'expérience politique démocratique, parce qu'elle est exercice d'une volonté consciente, délibérée, change les cultures qui lui servent de cadre, transforme l'appartenance spontanée en un pacte, en quelque chose de construit [50] ». D'ailleurs, « la réduction du rôle du politique qu'entraîne *nécessairement* la réunion de peuples trop différents et sans affiliation politique commune prépondérante est déjà engagée dans la Communauté avec son aptitude à réglementer, non pas à agir, à débattre et à symboliser [51] », ce qui expliquerait, d'après Thibaud, le succès de ce qu'il appelle les « idéologies antipolitiques » en Europe, au premier rang desquelles figure le libéralisme économique – aux côtés du subsidiarisme dont le trait essentiel est d'affirmer, conformément à la définition de Chantal Millon-Delsol, « le primat ontologique de la société sur l'État [52] ». La faute de cette dépolitisation de l'Europe revient à l'Allemagne qui « appuie en partie sa cohésion sur des traditions (locales, religieuses, corporatives) qu'aucun événement comparable à la Révolution française n'a interrompues [...]. Mais on ne voit pas que ce cas puisse devenir en Europe un modèle sinon, la plupart du temps, un modèle inaccessible, dont l'imitation produit tout autre chose que l'original, comme le prouvent les chiffres du chômage. On copie l'orthodoxie économique et monétaire allemande, la manière dont l'État s'y abstient de certaines interventions régulatrices, sans disposer, en France particulièrement, des substituts allemands à la limitation du politique et sans aucune chance d'obtenir cette revitalisation de la société civile rêvée par les subsidiaristes et les fédéralistes [53] ».

Un ultime argument plaide en faveur de l'État-nation ; il s'inscrit dans le cadre des réflexions sur l'élargissement de l'Union européenne. Il s'appuie sur l'idée de progrès contenue dans la nation politique, celle-ci représentant un dépassement du « nationalisme identitaire-répétitif, lequel compte ceux qui relèvent d'une origine au lieu de rassembler ceux qui adhèrent à une entreprise historique ». Ainsi, « dévaluer la nation politique, c'est enlever aux peuples de l'Est le modèle " civilisé " qui leur serait accessible et sans doute fournir, avec une Europe mythique, une excuse à la régression : pas d'ethnie nationalitaire et intransigeante qui ne se proclame en même temps européenne [54] ». En Europe de l'Ouest même, Thibaud met en garde contre les effets de la dévaluation de l'État-nation qui pourraient s'avérer plus néfastes que prévu : « Il se pourrait qu'elle ait pour contrepartie, en même temps que le triomphe de l'individu sur le citoyen, le retour d'identifications moins paisibles que ce que laisse entendre la formule bucolique d'Europe des régions qui promet un grand État pour intervenir dans les affaires mondiales et une communauté à échelle humaine pour la convivialité [55]. »

LA FÉDÉRATION IMPOSSIBLE

Pour Paul Thibaud, « l'issue fédérale justifierait *a posteriori* la stratégie suivie depuis la relance européenne dont on peut dire qu'elle a consisté à faire l'Europe par tous les bouts en captant les restes d'ambition de vieilles nations diversement frustrées aussi bien qu'en favorisant les forces qui débilitent ces nations. L'Europe sans frontières aurait, en déstabilisant les États et en posant d'insolubles problèmes de gestion, créé un "déséquilibre dynamique" et rendu nécessaire un pouvoir européen directement élu. La métaphore incessamment filée de la construction dont les fondations seraient économiques et le couronnement politique se trouverait ainsi validée [56] ». Il voit pourtant plusieurs obstacles à cette « consécration ». Le premier d'entre eux est l'idée que se font les Européens du projet politique continental ; l'Europe ne suscite pour Thibaud que des « passions molles » (l'expression en forme d'oxymore est de François Furet), elle n'engage qu'au « désir de consommer, de jouir, de voyager, de courir sa chance dans un monde plus vaste... Il y a désinvestissement des nations, mais on ne voit pas croître les nouveaux investissements collectifs [57] ». Comment voudrait-on mourir pour l'Europe, alors que les citoyens des nations ne veulent plus mourir pour leur propre nation ? Thibaud livre une vision dramatique de la politique qui se construit nécessairement comme une tragédie – pas de politique sans tragique : « C'est sous-estimer la difficulté, sous-estimer aussi le sentiment d'honneur des Européens que de croire que cela puisse se faire sans élan et sans drame [58]. » Le deuxième obstacle tient dans la « nature actuelle de la construction européenne », dans laquelle le « peuple européen » n'occupe aucune place. Mais l'idée de « remettre à l'endroit » le fédéralisme européen, si elle est séduisante, nécessiterait un tel bouleversement institutionnel qu'elle est quasi inenvisageable, elle serait en tout état de cause une rupture avec la méthode Monnet que Thibaud désigne par la célèbre formule des conjurés d'*Hernani* : « *ad augusta... per angusta* [59] ». « La Communauté abandonnerait beaucoup de son pouvoir sur les affaires de la société, elle renoncerait à développer l'Europe sociale chère à Jacques Delors pour devenir une force d'intervention et de pilotage dans les affaires du monde [60]. » Ce sont précisément les difficultés de parvenir à une fédération européenne – qui supposerait un renforcement réel des pouvoirs des institutions européennes au détriment des États dans les matières du cœur de la souveraineté : armée, police, justice... – qui expliquent les contradictions du traité de Maastricht : « On étend le champ d'intervention européen plutôt par la coopération que par l'intégration, et en diversifiant les institutions, mais en même temps on pose ce qui peut sembler des pierres d'attente du futur fédéralisme. Au point où les deux logiques se rencontrent (procédure de " codécision "), la complication de la procédure révèle une véritable contradiction. Le résultat de cette confusion risque d'être une intrication sans unité, une promiscuité entre nations qui accroît entre elles la méfiance (chacun craignant que l'autre le manœuvre, lui fasse la loi), qui rend la politique ésotérique et extérieure aux peuples, qui bloque le développement institutionnel [61]. » L'idée fédérale que Thibaud voit comme l'idéal européen officiel depuis 1989 fonctionne comme une illusion : « Pas plus que le marché sans frontières, le vote pour une même assemblée ne crée un véritable corps politique. Le fédéralisme américain, ses inventeurs l'ont répété, a été une manière de réunir une nation issue d'une culture commune, d'une révolution et d'une guerre d'indépendance vécues ensemble, mais que la politique avait artificiellement dispersée. Rien de tel en Europe. Certes, il y a, il se crée chaque jour plus, à travers notamment la Communauté, une société européenne, une circulation généralisée. Mais cela n'entraîne pas la disparition des identités civiques [62]. »

« Le fédéralisme est en Europe un mythe dans la mesure où l'on ne voit pas se constituer une légitimité politique supérieure à celle des États nationaux. Mais ce mythe constitue l'horizon dont les architectes de l'Europe n'arrivent pas à se défaire. D'accrocher ainsi leur entreprise à un faux idéal présente plusieurs inconvénients [63]. » D'abord, ils parasitent ce que Thibaud appelle « l'Europe rationnelle » en chargeant la barque européenne déjà pleine d'obligations réciproques de discours creux sur la citoyenneté européenne, par exemple, qui ne servent à rien d'autre qu'à justifier l'idéologie libérale-fédéraliste de référence. Ensuite, ils détournent l'attention des peuples des résultats des politiques menées en concentrant celle-là sur « le fait d'avancer », en magnifiant « n'importe quel élément de la construction, [en justifiant] tout ce qui participe de l'accomplissement [64] », ce qui importe c'est d'avancer, ce n'est plus de savoir où l'on va. Ce dogme de la construction pour la construction se retrouve aussi dans la « tactique delorienne » décrite par Élie Cohen : « La tactique delorienne [est] de rehausser les enjeux, lorsque les difficultés de l'intendance menacent d'étouffer le projet, en proposant un objectif qui transcende le précédent et relativise les difficultés de sa réalisation [65]. »

Deux solutions sont donc possibles aux yeux des tenants de la « thèse nationale » : « Ou bien la vie politique s'européanise, c'est-à-dire devient de faible intensité, sa capacité d'intégrer les marges et de mobiliser les peuples se réduit. Ou bien la nation reste le centre de l'identification politique et de la vie politique, l'Union européenne précise et garantit la place des nations sur lesquelles elle s'appuie, tandis que les nations se redéfinissent comme participant à un ensemble qui les dépasse, les vies politiques nationales apparaissant de plus en plus en continuité avec l'international [66]. » On a compris, à l'occasion du développement qui précède, que c'est la seconde solution qui a leur préférence.

Mais est-ce que celle-ci est encore possible ou simplement envisageable compte tenu du point où en est arrivée la construction européenne ? Est-ce que le choix est encore aujourd'hui entre un modèle conforme au « principe du nationalisme » cher à Gellner et l'État fédéral européen qui se profile derrière le traité de Maastricht et les discours des dirigeants européens ? N'y a-t-il pas d'autres voies institutionnelles possibles ? Pour répondre à ces questions, il convient de s'interroger sur une des nouvelles voies théoriques tracées en France, encore incertaine et floue mais qui semble en mesure de concilier les exigences de l'autonomie, héritage des nations, et de l'intégration, nécessité européenne. Ainsi les deux solutions précédentes – dissociationniste et stato-nationale – sont-elles sérieusement mises en cause par un certain nombre d'auteurs dont le but est de démontrer la force et la validité du modèle fédéral appliqué à l'Europe, mais d'un fédéralisme particulier qui s'inscrive dans une tradition prénationale européenne et qui débouche moins sur un État fédéral que sur une fédération proche du modèle classique. Bref, un modèle européen dont l'ancienneté et la puissance tant théorique que pratique n'auraient rien à envier à celles du modèle stato-national. Leur démonstration commence par une remise en cause des concepts théoriques liés à ce dernier modèle, qu'ils jugent dépassés par l'histoire contemporaine, et se poursuit par une critique des impasses de la construction européenne actuelle qui ne fait pas assez de place aux entités politiques « toujours déjà là » que sont les États.

L'INSUFFISANCE DES CATÉGORIES CLASSIQUES DE LA PENSÉE POLITIQUE FACE À LA NOUVELLE QUESTION POLITIQUE EUROPÉENNE

Aujourd'hui, un certain nombre d'auteurs mettent en cause, pour insuffisance ou obsolescence, les catégories politiques européennes classiques (État-nation et souveraineté essentiellement) ; celles-ci ne permettraient plus de rendre compte de l'objet théorique « construction européenne » et de la forme politique que pourrait prendre pratiquement l'Europe à venir. Ces auteurs débouchent sur une thèse fédéraliste qui va beaucoup plus loin politiquement que la forme fédérale *a minima* envisagée aujourd'hui officiellement dans le traité de Maastricht – qui hésite entre une forme confédérale dans laquelle les décisions sont prises à l'unanimité et une forme fédérale qui implique des décisions à la majorité. « Le trouble semé est réel et le travail théorique et pratique qu'il appelle est titanesque puisqu'il demande tout simplement que nous réinventions notre analyse ainsi que notre pratique politique [67]. » Il y aurait ainsi une structure trinitaire du politique dont la formulation démocratique – volonté souveraine, nation, peuple – définirait les « objets politiques identifiables » des temps modernes. L'action d'une collectivité ne pouvant avoir un caractère réellement politique, ne pouvant prendre en charge son destin, qu'en devenant une entité politique authentique – *i.e.* correspondant à ces critères.

D'où viennent les catégories politiques qui, aujourd'hui, nous empêchent de voir la réalité de l'avancement de la construction européenne et surtout nous masquent l'avenir de celle-ci ?

La notion de souveraineté apparaît vers le XIIe siècle, au croisement de la théorie juridique de la corporation (redécouverte du droit romain) et d'une théologie ecclésiale fondée sur la notion paulinienne de « corps mystique [68] ». Dès cette époque se dégagent « les grands traits de ce premier droit public commun "européen" : une souveraineté conditionnée en permanence par son origine consensuelle, une continuité sans solution entre les associations de niveau inférieur, locales, et de niveau supérieur, universelles, une dignité autonome des magistrats de "pleine juridiction" par rapport au Prince fédérateur, une pluralité de droits locaux tempérés par une référence juridique commune [69] ». Cet héritage théologico-juridique a fait l'objet, histori-

quement, d'une captation nationaliste, notamment
de la part des premiers États-nations (la France et
l'Angleterre) qui ont peu à peu confisqué l'idéologie
du « corps mystique » à leur profit en le transformant
en *patria*. À partir du XIIIᵉ siècle, la devise « *Rex impe-
rator in regno suo* » (le roi est empereur en son
royaume) devient la doctrine juridique dominante,
l'idée d'empire est nationalisée, chaque prince peut
désormais se considérer comme le maître absolu
chez lui. Les droits nationaux remplacent le droit
romain universel en vigueur depuis le début du
Moyen Âge. Ainsi, pour Jean Bodin – considéré
comme le père de la notion de souveraineté – qui
résume cette évolution à la fin du XVIᵉ siècle, la souveraineté ne peut-elle se définir que comme puissance absolue, le prince n'étant « pas sujet à ses
lois [70] ». « Le décor est désormais dressé pour les
siècles à venir : monopole du droit, transparence de
l'espace social au pouvoir politique, centralisation de
l'exercice du pouvoir. Bien plus, la monopolisation
des pouvoirs politiques est la face interne d'une souveraineté dont la face externe est l'indépendance
absolue. Le soleil souverain ne souffre ni les pouvoirs
locaux, ni les partages du droit avec les régimes ter-
ritoriaux voisins, ni les organisations sociales auto-
nomes et spontanées ; et que ce soleil devienne
monarchie absolue ou république démocratique ne
changera désormais plus rien à cette conception
moniste de la souveraineté et à sa place centrale dans
la théorie politique [71]. » La notion de souveraineté
n'a en effet connu pratiquement aucune modifica-

tion depuis le XVIᵉ siècle, alors que de nombreuses autres notions sont apparues : État, nation, volonté générale, théories contractualistes, contrôle démocratique, équilibre et séparation des pouvoirs... Des auteurs tels que Béla Farago, Dominique Schnapper et Paul Thibaud s'inscrivent clairement – cf. *supra* – dans cette longue tradition française sans en discuter les catégories, alors que, pour les auteurs dont il est question maintenant, la problématique européenne contemporaine commande d'en sortir : « Ces idées d'État-nation et de souveraineté ne sont pas des critères adéquats pour rendre compte de ce qui se passe aujourd'hui, non pas d'ailleurs parce que le thème de l'État-nation serait devenu obsolète – comme on le lit souvent –, mais plus fondamentalement parce que *ce n'est pas la notion d'État (c'est-à-dire la notion jumelle de souveraineté) qui est l'étalon de mesure conceptuelle du phénomène européen, mais bien plutôt la notion de fédération* [72]. » En restant prisonnier des catégories classiques de la pensée politique, on s'interdit de penser de nouvelles formes institutionnelles en Europe : « Pour cette tradition, la création communautaire de l'Europe tient du contresens politique et de l'aberration historique [...] pour elle, toute description de cet échafaudage " artificiel " ne peut relever que de la tératologie, la science des monstruosités. De façon d'ailleurs encore plus paradoxale, les tenants de cette tradition classique sont curieusement condamnés soit à nier, ou, au besoin, à combattre, la réalité même d'une unification européenne (et l'on pourrait ranger sous cette bannière les anti-Européens conservateurs anglais, et, chez nous, certains chevènementistes et séguinistes), soit à invoquer (comme chez Farago) la création d'une hypothétique nation européenne qui se substituerait aux nations française, anglaise ou allemande [73]. »

Le modèle national fondé sur la souveraineté territoriale est d'ailleurs récent à l'échelle de l'histoire humaine ; il s'est cristallisé au XVIe siècle, dans un contexte où « le modèle national était, pour les tâches présentes et à venir, celles de la police et de la guerre, de loin le plus efficace [74] ». Mais aujourd'hui ce modèle paraît épuisé, pour plusieurs raisons : d'abord parce qu'il a conduit au nationalisme et, de là, à des dérives telles que celles de « l'égoïsme sacré » de l'Italie fasciste ou de « l'espace vital » de l'Allemagne nazie, ensuite parce que la juxtaposition des monades nationales, « de corps particuliers dotés de mystiques universelles », a condamné l'Europe à des déchirements meurtriers entrecoupés de phases insatisfaisantes de « concert des nations », enfin parce que ce modèle est incapable de répondre à un certain nombre d'évolutions contemporaines (économie mondialisée et transnationale, effets démographiques et écologiques globaux, résurgence des questions identitaires minoritaires de caractère ethnique ou religieux...).

Pour aller au-delà de la description généalogique des catégories incriminées, il faut reprendre le débat de théorie politique là où il en est resté aux XVIe et XVIIe siècles, c'est-à-dire reprendre la réflexion sur la question clé de la souveraineté. Il faut tenter de voir concrètement ce que cela implique, c'est-à-dire les notions qu'il faut distinguer dans l'analyse : celle du contrôle démocratique, celle du niveau de contrôle (représentants directement ou indirectement élus), du cadre territorial du contrôle (nation européenne, fédération de nations...) et celle de la légitimité politique (est-ce que les Européens se reconnaissent dans les institutions européennes ?).

On peut avancer, d'abord, que la souveraineté n'est pas la condition préalable de toute organisation politique viable, par exemple « le contrôle démocratique des personnes publiques peut se faire sans le monopole territorial de la souveraineté, la liberté d'une collectivité territoriale – celle qui permet de faire sa loi – n'est pas antinomique d'une souveraineté partagée, et ce partage des souverainetés est sans doute un meilleur garant des libertés internes et externes que le rêve d'indépendance totale qui est le paravent de toutes les tentatives d'hégémonie [75] ». L'auteur voit même dans cette « remise en question de la tyrannie théorique du souverain [...] une chance unique : celle qui consisterait à remplacer le duo qui assujettit une " société civile " creuse à un pouvoir politique monopolistique par un continuum politique d'organisations créatrices de droit, par des collectivités qui se réapproprient le politique au plus près des citoyens [...]. En d'autres termes, il faut se demander si notre Europe qui a donné naissance aux concepts politiques les plus originaux saura répondre à une époque qui a appris durement la vertu des conceptions modestes et dégrisées du pouvoir : celle d'une délégation partielle de certains services essentiels à une agence, une commission, chargée de tâches précises et non transcendantes, par des citoyens et sous leur contrôle permanent [76] ». La question qui se pose, dès lors que cette première étape est franchie, est plus technique, c'est celle du partage des compétences, ou plus exactement celle d'un partage efficace des compétences entre les différents niveaux de pouvoir afin que l'on ne débouche pas sur une « composition des faiblesses communes », comme c'est le cas dans certains domaines de la politique européenne aujourd'hui – cf. l'exemple déjà cité de la politique étrangère européenne en ex-Yougoslavie. Ensuite, si l'on envisage la notion de « nation », là encore on peut avancer qu'il ne s'agit pas d'un mot qui doit nous arrêter dans notre manière de penser la politique. « Peut-être arrivons-nous à une époque où l'on peut éprouver une solidarité politique réelle pour une organisation sociale et politique sans le secours du mythe théologique laïcisé [77]. » Mais alors comment rendre dans la construction européenne la force intégratrice, notamment pour les étrangers ou les plus démunis, d'une nation comme la nation française par exemple ? C'est « une des difficultés les plus sérieuses de la construction européenne, [puisque] malgré l'existence de nombreuses valeurs communes à l'Europe entière, personne n'irait mourir pour la Commission ». Il faut donc déplacer la question de la construction d'un espace commun aussi significatif que la nation sur le terrain du contrôle démocratique, de la construction civique de l'être ensemble européen : « L'existence d'un espace politique et social homogène et transparent, qui met directement en contact le peuple des citoyens et le souverain " naturel ", n'est pas la condition préalable du contrôle démocratique [78] », ce qui importe avant tout, c'est la nature et la procédure de délégation. Il n'est pas choquant, par exemple, que le contrôle démocratique exercé sur les politiques communautaires soit effectué par les représentants des États membres au Conseil. De la même manière, le contrôle du Conseil sur la Commission est certainement bien plus étroit que celui du parlement sur le gouvernement en France ; le véritable test est plutôt celui de la « règle majoritaire » au Conseil. À partir du moment où des décisions peuvent être prises par le Conseil à la majorité, cela veut dire que les institutions européennes, et donc l'Union européenne comme entité politique, sont entrées dans « l'ère postnationale » ou que l'on a atteint une forme fédérale. Le point critique à ce propos reste celui soulevé par Béla Farago sur « le fait que la Commission n'est pas un exécutif véritable et que le Conseil ne regroupe que les représentants d'intérêts nationaux, [ce qui] introduit une dissymétrie dangereuse [79] ». Comme on l'a déjà souligné plus haut, les niveaux de gestion des politiques européennes et de la légitimation politique sont découplés. La solution fédéraliste serait de donner à la Commission une dimension explicitement politique afin qu'elle assume ses propres responsabilités de gestion, qu'elle devienne un exécutif auquel les « représentés » puissent se référer. « La constatation désolée de l'absence de " corps mystique " européen sert, positivement, à interdire la création d'un véritable centre politique intégré en Europe, à condamner à l'anonymat irresponsable d'instances multiples le processus communautaire [80]. » Enfin, on peut remarquer que, si « l'effet direct » – cf. *supra* – représente aux yeux des tenants de la théorie de la souveraineté classique « un coup de force » – puisque le souverain qui reste national peut être mis en minorité, c'est-à-dire qu'une loi qu'il n'a pas votée peut lui être imposée sous le contrôle des juges européens et que ses propres citoyens peuvent invoquer cette loi contre lui –, c'est malgré tout ce qui distingue de manière radicale l'Union européenne d'une simple organisation internationale, c'est le signe d'une volonté politique qui dépasse les États – voir également *infra* sur ce point. Mais là encore, aux yeux de Winckler, cette « réalité juridique » n'a rien d'extraordinaire si on la prend en considération dans l'optique des « juristes impériaux » auxquels il fait référence pour appuyer sa revendication de dépassement des catégories classiques de la pensée politique. « Si [le] droit commun est fondé sur l'ensemble des valeurs reconnues par la Communauté tout entière comme fondamentales ou adopté par la majorité des représentants de la volonté populaire au terme d'une procédure transparente et contradictoire, il est irréprochable. Le fait qu'il se passe de l'État-nation pour exister n'enlève rien à sa légitimité de principe [81]. »

Il devient donc difficile dans cette logique d'opposer la notion de « volonté générale » rousseauiste qui renvoie à la forme (et non au contenu) des décisions législatives au caractère « spécial » des objectifs du législateur.

L'absence de dimension politique des normes européennes (problème souligné à la fois par Farago et par Winckler, précités) pose également des problèmes. D'abord celui de leur adoption par rapport à leur portée véritablement constitutionnelle – en fait, on ne leur donne pas ce nom parce qu'elles ne sont pas légitimées par des procédures constitutionnelles de type classique impliquant un débat démocratique large, un accord commun plus large que celui d'une majorité simple... bref, des garanties supérieures à celles requises pour les lois ordinaires. Pourtant, les principes juridiques fondamentaux mis en œuvre par les institutions européennes font du traité de Rome comme de celui de Maastricht des textes à portée constitutionnelle. À ce titre, l'exemple des deux principes fondamentaux de la primauté du droit communautaire (permettant au juge européen de contredire la loi nationale, voire les textes nationaux à valeur constitutionnelle) et de « l'effet direct » (qui conduit, par exemple, à la possibilité pour un citoyen de recourir à un texte européen au besoin contre une norme nationale) est éloquent : « C'est précisément l'extension des compétences communautaires qui révèle au grand jour » le manque de légitimité des institutions européennes, « mais ici encore, ce n'est pas la présence d'un "corps mystique" qui fait défaut, mais bien celle d'une procédure de légitimation ». Ensuite, celui de la nature du travail des juges européens. Farago en critiquant l'origine judiciaire de « l'effet direct » pose la question de la légitimité du pouvoir judiciaire « lorsque le paravent du tryptique "loi, nation, souverain" est tombé [82] ». Dans le cadre de la théorie nationaliste du souverain, le juge ne peut que lire la loi – puisqu'elle est l'expression de la volonté générale, une volonté qui ne se divise pas, comme l'a montré Rousseau. C'est ce que l'on appelle la conception « exégétique » à la française – liée au légicentrisme républicain –, dans laquelle il n'y a pas de place pour la création d'un droit concurrent issu de l'interprétation et de la jurisprudence. « Les théoriciens français ont inventé la fiction d'une lecture mécanique d'un droit purement positif, cependant que les assemblées révolutionnaires interdisaient explicitement, sous peine de forfaiture, la création officielle d'une jurisprudence ayant force légale [83]. » En revanche, la « théorie impériale » autorise le juge à exercer un pouvoir limité de création du droit, mais à trois conditions : il faut qu'il soit désigné démocratiquement (élu comme aux États-Unis par exemple), il faut que la procédure du jugement soit libre, contradictoire et publique (par exemple qu'un juge puisse exprimer une opinion dissidente de celle du jugement rendu), il faut enfin qu'il y ait une possibilité d'appel auprès du législateur ou auprès d'une Cour suprême qui se réfère à un acte constitutionnel précis et fondateur [84]. Le juge

peut alors échapper au contrôle étroit des deux
autres pouvoirs et passer du simple statut d'autorité
judiciaire à celui de véritable pouvoir, sans pour
autant que la société subisse la dérive vers le « gouvernement des juges », puisque ceux-ci restent
contrôlés par le peuple souverain.

VERS UN AUTRE FÉDÉRALISME EUROPÉEN : APRÈS LA NATION, AU-DELÀ DE LA SOUVERAINETÉ

Si l'on veut répondre à la fois à la question de
l'insuffisance et de l'obsolescence des catégories classiques de la pensée politique européenne et à celle
posée par la crise politique de la conscience européenne contemporaine évoquée plus haut – celle du
déficit politique de la construction européenne –,
alors il semble que la seule voie qui s'ouvre soit celle
du fédéralisme européen, mais dans une forme inédite, prenant en compte à la fois l'existence des États
nationaux et l'exigence d'une puissance supranationale. Ce projet est ainsi résumé par Jacques Delors :
« Mené dans le respect de l'identité des acteurs, [il]
est rendu possible par l'invention d'un nouvel espace
politique où l'État-nation ne disparaît aucunement,
mais accepte la délégation d'une part des compo-
santes de la souveraineté lorsqu'il juge que c'est la
condition de la puissance – et de la générosité. La
Communauté européenne, c'est en effet cet espace
où les souverainetés sont, selon les cas, limitées,
concurrentes ou conjuguées, où se dessine non pas
un super-État-nation aux limites élargies (ce qui
serait recréer un centre d'hégémonie classique),

mais un réseau plus diversifié de pouvoirs et de droits [85]. » Il faudrait, en fait, « cesser d'évaluer la pratique politique européenne en fonction de la "norme" étatique, et la mesurer plutôt par rapport à sa figure conceptuelle la plus proche : la fédération [86] ». Le dépassement des modèles classiques permettant de résoudre le découplage entre sens et puissance de l'État-nation. Selon Zaki Laïdi, on invoque de plus en plus l'État-nation comme référence absolue de la politique au moment précis où il perd de plus en plus de sa puissance réelle au profit de formules politiques plus ou moins floues supranationales et infranationales [87]. Alors que la notion de souveraineté permet de définir de manière nette et concise l'entité politique étatique, on ne dispose pas d'une notion équivalente qui permettrait de décrire l'entité politique fédérale ou fédérative. La fédération n'est que la concrétisation de l'idée politique fédéraliste qui, tant historiquement que conceptuellement, fait l'objet de définitions variées. Toutefois, nonobstant ces difficultés, c'est aujourd'hui, pour un certain nombre d'auteurs, la manière la plus juste de décrire les institutions européennes, leur mode de fonctionnement et surtout d'envisager leur avenir. En effet, ni les États membres de l'Union ni l'Union elle-même ne jouissent d'une souveraineté totale ; mais, s'il s'agit d'un phénomène étrange si on le juge à partir des notions classiques d'État et de souveraineté, il en va différemment si on laisse de côté ces notions pour celle de fédération et de subsidiarité. Le fait de mettre des prérogatives en commun devient alors normal, cela ne s'analyse plus en termes de « perte de souveraineté ». L'idée fédéraliste présente en effet la caractéristique de répondre à la crise de la question politique, sans hypothéquer la poursuite de la construction européenne en faisant appel à la figure indépassable de l'État-nation, par une répartition de la souveraineté entre les États membres de l'Union et l'Union elle-même, en faisant de celle-ci une véritable entité politique sans nier les particularités et les identités séculaires de celles-là. Il ne faut donc plus s'en tenir à une « conception fondamentaliste de la souveraineté [car] celle-ci tend au " tout ou rien " et prétend, selon l'expression de Philippe Séguin, que la souveraineté ne se partage pas (" on la détient ou on ne la détient pas ") [88] ».

Mais la construction européenne actuelle ne répond pas pleinement aux vœux des tenants du fédéralisme comme modèle politique. En effet, comme l'explique Maurice Duverger, « les institutions qui s'implantent en Europe, fruits des récentes mutations et des accords de Maastricht, ne peuvent pas être ramenées, telles quelles, au modèle fédéral. La CE est un mélange de confédération et de fédération. Cette distinction n'est pas simplement une nuance théorique ou une précision sémantique. C'est une distinction qui entraîne plusieurs conséquences [...]. Disons pour l'instant que la CE évolue vers un néofédéralisme, c'est-à-dire une forme originale et unique de gouvernement entre les États [89] ». Duverger fixe également les lignes du programme intellectuel auquel répondent les auteurs dont il est question ici : « Le fédéralisme n'est pas une idée figée que l'on ressort, au besoin, pour servir telle ou telle cause. Le fédéralisme est devenu une idéologie qui souffre de dogmatisme. Il est urgent d'entreprendre sa rénovation avec une conscience claire des insuffisances actuelles qui l'empêchent en Europe de remplir sa véritable fonction [90]. »

Tant historiquement que philosophiquement, il est important de rappeler que le modèle fédéral n'est pas étranger à la tradition européenne, en fait qu'on peut l'évoquer sans avoir besoin de traverser l'Atlantique. C'est ce que s'attache à montrer Jean Baechler lorsqu'il parle de la « structure fédérale comme structure universelle » et qu'il rappelle comme exemples de structures fédérales l'Église chrétienne telle qu'elle s'est organisée dans la partie latine de l'Empire romain entre le Ier et le IIIe siècle – modèle paroisse-évêché-papauté –, la féodalité européenne du Xe au XIIIe siècle ou encore la communauté scientifique aujourd'hui [91]. Pour lui, « si l'Europe doit se faire, ce ne peut être que comme fédération. Le passé de l'Europe ne s'y oppose pas, au contraire, des courants variés sont favorables à la solution fédérale [92] ». Il oppose également, pour appuyer sa démonstration, la « structure fédérale » à la « structure confédérale » d'organisation du pouvoir, une structure fédérale, d'invention européenne, qu'il définit ainsi : « La structure fédérale [...] organise un espace social hétérogène et anisotrope, en faisant en sorte que l'unité et la diversité coexistent sans se gêner. Elle part de la périphérie et de la base, pour leur donner un centre et un sommet, à la fois réels, distincts et discrets, au sens où ils ne cherchent pas à absorber ce qui les a fait naître, du moins en principe » ; il ajoute que « le modèle ne saurait rester fidèle à sa nature que par le respect de deux principes fondamentaux. [...] le *principe de subsidiarité* [...] et le *principe d'immédiateté* [qui] stipule que chaque niveau de la structure fédérale doit avoir une réalité pleine et entière ; que sa substance lui vient non d'une délégation d'en bas et encore moins d'en haut, mais d'un bien commun à réaliser ; que *chaque citoyen doit être en relation immédiate avec chaque niveau pour ce qui le concerne*. Ce principe est essentiel car il permet la disjonction conceptuelle entre fédération et confédération, et *empêche que chaque niveau supérieur soit une délégation d'un niveau inférieur* [93] ».

Il convient également de bien distinguer « l'État fédéral » de la « fédération » à proprement parler : car « loin d'être un " pouvoir résiduel ", le pouvoir des États membres dans une fédération est un pouvoir qui peut rester " essentiel " tant que l'*équilibre* entre les État membres et la fédération reste stable, c'est-à-dire tant que la fédération ne se transforme pas en un État fédéral [94] ». Une fédération, modèle dont s'approche le plus la construction européenne aujourd'hui bien qu'il subisse une dérive vers l'État fédéral – voir *infra* –, est une entité politique qui se forme à partir d'autres entités politiques qui entendent rester des unités politiques – *i.e.* disposant de pouvoirs propres et de prérogatives –, malgré ou grâce à l'union qu'elles décident de former [95].

Si l'on suit l'argument développé par les trois auteurs précités – Baechler, Beaud et Winckler[96] –, on tend vers un modèle fédéral qui dépasse à la fois théoriquement et dans ses conséquences pratiques le fédéralisme officieux proclamé par les dirigeants européens aujourd'hui. L'esquisse proposée par ces auteurs, à partir d'une perspective historique – les expériences fédérales et impériales européennes pour Baechler et Winckler, l'exemple américain pour Beaud –, appelle en effet quelques remarques pour tenter d'en saisir l'originalité. Il s'agit d'une réflexion dont l'objectif est la création d'une nouvelle entité politique sans destruction de celles qui existent et qu'il faut prendre en considération, ce qui suppose une logique d'équilibre institutionnel. L'autonomie et l'intégration apparaissent comme deux principes également incontournables mais conciliables. Ce « tour de force » apparaît comme l'objet même de la fédération nouvelle. C'est précisément à propos de cet équilibre essentiel que l'on peut déceler le point de rupture entre cette proposition fédéraliste novatrice et l'actuel principe fédéral européen : la subsidiarité. Dans le traité de Maastricht, à l'article 3B, le principe de subsidiarité est défini en ces termes : « Dans les domaines qui ne relèvent pas de sa compétence exclusive, la Communauté n'intervient, conformément au principe de subsidiarité, qui si et dans la mesure où les objectifs de l'action envisagée ne peuvent pas être réalisés de manière suffisante par les États membres et peuvent donc, en raison des dimensions ou des effets de l'action envisagée, être mieux réalisés au niveau communautaire. » La latitude d'interprétation que laisse au lecteur la rédaction de cet article apparaît comme la limite même du principe de subsidiarité : le risque de confusion, de conflit de compétence, d'ingérence du niveau fédéral dans les affaires des États membres... tout concourt à rendre la subsidiarité suspecte aux yeux des tenants de l'État-nation comme à ceux des fédéralistes purs. Tel qu'il apparaît dans les textes européens, le principe de subsidiarité conduit à une concentration fédérale des pouvoirs européens, à la création d'un État fédéral que le modèle fédéraliste présenté ici a pour but précisément d'éviter. Seule une répartition claire, précise et acceptée comme telle des compétences entre les différents niveaux de pouvoir, assortie d'une procédure de révision toujours ouverte, permet d'éviter le risque d'une confiscation des pouvoirs [97].

La fédération comme modèle « pur » oscille donc entre deux écueils : l'État fédéral d'une part, qui conduit à la perte de pouvoir de la part des entités nationales, ce qui renvoie aux questions sur la légitimité posées plus haut et à un risque de rejet de toute construction européenne, la simple coordination intergouvernementale d'autre part, qui réduit la construction européenne au statut d'organisation internationale – voir également cette critique *supra*. Ce modèle « pur » appliqué à la construction européenne conduirait à une « fédération d'États » ou à une « fédération des nations européennes » irréduc-

tible, tant au modèle stato-national et à son corrolaire
« l'Europe des nations » qu'à la confédération [98].

On peut enfin souligner que le recours à la théorie politique et juridique du fédéralisme permet également d'aller au-delà des problèmes posés par la distinction rigide entre droit public interne et droit
international. C'est Olivier Beaud qui remarque que,
dans cette perspective, l'Union européenne apparaît
comme quelque chose de plus qu'une simple organisation internationale ; elle n'est ni un État, ni une
ligue d'États, ni une organisation du type ONU,
« elle transcende la sacro-sainte distinction entre le
droit public interne et le droit des gens, comme l'ont
bien vu tous les auteurs du *jus publicum europæum* qui
ont réfléchi sur cette figure originale de la " République " (une *respublica composita*) [99] ». En même
temps, la théorie fédérale permet d'appréhender de
manière précise, juridiquement, le statut des frontières intérieures et extérieures d'une entité politique fédérative [100].

La question essentielle qui se dégage des contributions françaises au débat sur l'avenir de la question
politique européenne telles qu'elles ont été étudiées
ici tient dans la manière de faire coïncider ce que le
philosophe américain Michael Walzer nomme, sans
pourtant faire allusion au cas européen, la « communauté morale » et la « communauté légale » [101]. C'est-
à-dire de recouper l'ensemble social pertinent de
légitimation historique, géographique et culturelle
dans lequel vivent les individus – Walzer parle d'in-

dividus unis par leur compréhension partagée des liens les unissant – et l'ensemble politique choisi par ces mêmes individus pour exercer ce « vivre ensemble » – Walzer évoque des actes de consentement de la part des individus créant et délimitant l'autorité souveraine. Si le recoupement n'est pas total ou maximal entre les deux ensembles, les citoyens s'interrogent sur la légitimité de la construction politique dans laquelle ils vivent. C'est le cas aujourd'hui dans l'Union européenne. Et la méthode utilisée jusqu'ici de tissage du lien social et politique européen par l'enchevêtrement de micro-relations économiques ou culturelles semble atteindre ses limites. C'est pourquoi l'unité politique de l'Europe est désormais ouvertement en question.

Les quatre grandes réponses évoquées, dans le développement qui précède, à la question de la coïncidence entre « communauté morale » et « communauté légale » conduisent à des modèles politiques différents. La réponse « européiste orthodoxe » qui propose de poursuivre la méthode Monnet d'intégration politique par l'intégration économique semble avoir atteint ses limites à la fois d'efficacité et de légitimité. La réponse « dissociationniste », proposée notamment par Jürgen Habermas, qui entend découpler le niveau politique, celui de la citoyenneté – l'Europe – du niveau socioculturel, celui de la nationalité – les nations existantes –, semble mécaniquement condamnée à la répétition des problèmes actuels de l'attribution de la légitimité puisque cette réponse ne fait que spécialiser les niveaux de légitimité – sans résoudre la question de son attribution décisive. La réponse « stato-nationaliste », puissante en France, dont les tenants sont attachés au concept politique de l'État-nation souverain, lie la citoyenneté et la nationalité, rendant ainsi pleinement congruentes les deux communautés légale et morale, mais hypothéquant fortement la réalisation d'une union politique européenne, abandonnant celle-ci à son statut de marché commun ou d'organisation internationale, puisque la construction d'un État-nation européen, seul modèle qui serait viable dans cette perspective, n'est réalisable qu'à très long terme. La réponse « fédéraliste pure » enfin, qui se veut la plus novatrice dans le double sens d'un dépassement des concepts classiques de la pensée politique et des discours actuels sur le « fédéralisme européen », place son exigence dans la conciliation de l'autonomie des communautés morales nationales avec l'efficacité et l'unité de la communauté légale européenne, la clé de répartition entre les deux portant non plus sur la distinction des critères de légitimisation entre les niveaux européen et national mais sur le partage organisé et accepté de la légitimité politique entre ces niveaux.

La double évolution politique qui conjugue développement démocratique – au travers de l'amélioration des institutions notamment – et réalisation d'une puissance extérieure qui ne soit pas seulement économique apparaît comme une des rares voies ouvertes à la résolution du dilemme européen tel qu'il était formulé par Jacques Delors en 1995 :

« D'un côté, nous avons à étendre à l'ensemble de l'Europe, et même au-delà, ce qui fait notre succès, par la mise en commun des ressources, par la liberté de circulation des idées, des personnes et des biens, par le choix de la coopération contre l'affrontement. De l'autre côté, en fonction de la réduction de la marge de manœuvre de chaque État national, nous avons à nous regrouper non pour fusionner, mais pour mener ensemble certaines actions communes. Or il y a contradiction entre ces deux objectifs : on ne peut conférer à un ensemble très vaste autant de compétences qu'à un espace restreint. Le risque est de diluer l'idée politique de l'Europe dans une vaste zone de libre-échange. Comment, parallèlement à cet élargissement, construire la fédération des nations européennes dont nous avons besoin ? Les deux projets sont-ils compatibles dans le même cadre ? Je ne le crois pas. Et pourtant je me refuse à sacrifier l'un à l'autre. Nous sommes devant ce dilemme. Voilà le problème central pour l'avenir de l'Europe [102]. » Le premier mérite des auteurs français dont il a été question ici est de tenter, en apportant des réponses à la nouvelle « crise de la conscience européenne », de sortir de ce dilemme.

RÉFÉRENCES BIBLIOGRAPHIQUES

ARON, Raymond, « Une citoyenneté multinationale est-elle possible ? », *Commentaire*, 56, hiver 1991-1992.

ARON, Raymond, *Paix et guerre entre les nations*, Paris, Calmann-Lévy, 1962.

BAECHLER, Jean, « Europe et fédération », *La Pensée politique*, 1, 1993.

BEAUD, Olivier [1], « Déficit politique ou déficit de la pensée politique », *Le Débat*, 87, 1995.

BEAUD, Olivier [2], « La fédération entre l'État et l'Empire », *in* B. Théret (dir.), *L'État, la finance et le social : souveraineté nationale et construction européenne*, Paris, La Découverte, 1995, p. 282-305.

BOCQUET, Dominique, « Le paradoxe de l'Europe politique », *Le Débat*, 87, 1995.

BODIN, Jean, *Les Six Livres de la République*, Darmstadt, Scientia Verlag Aalen, 1977.

BOYCE, Brigitte, « The Democratic Deficit of the European Community », *Parliamentary Affairs*, 46 (4), 1993.

COHEN, Elie, *Le Colbertisme high-tech*, Paris, Hachette-Pluriel, 1992.

COHEN-TANUGI, Laurent, *L'Europe en danger*, Paris, Fayard, 1992.

DELORS, Jacques, « Le moment et la méthode », entretien, *Le Débat*, 83, 1995.

DOMENACH, Jean-Marie, *Europe : le défi culturel*, Paris, La Découverte, 1990.

FARAGO, Béla, « Le déficit politique de l'Europe », *Le Débat*, 87, 1995.

FARAGO, Béla, « L'Europe : empire introuvable ? », *Le Débat*, 83, (janvier-février) 1995.

FERRY, Jean-Marc (et Paul Thibaud), *Discussion sur l'Europe*, Paris, Calmann-Lévy, 1992.

FERRY, Jean-Marc, *Les Puissances de l'expérience*, Paris, Éditions du Cerf, 1991.

FICHTE, J. G., *Discours à la nation allemande*, Paris, Aubier, 1952.

GELLNER, Ernst, *Nation et nationalismes*, Paris, Payot, 1989.

HAHN, Hugo, « La Cour constitutionnelle d'Allemagne et le traité de Maastricht », *Revue générale de droit international public*, 98, 1994.

HAZARD, Paul, *La Crise de la conscience européenne, 1680-1715*, Paris, Fayard, 1961.

HERDER, J. G., *Idées pour une philosophie de l'histoire de l'humanité (1784-1791)*, Paris, Aubier, 1962.

HOBSBAWN, Eric, *Nations et nationalismes depuis 1780*, Paris, Gallimard, 1992.

KANTOROWICZ, Ernst, *Les Deux Corps du roi*, Paris, Gallimard, 1987.

LAÏDI, Zaki, *Un monde privé de sens*, Paris, Fayard, 1994.

LÉGARÉ, Anne, *La souveraineté est-elle dépassée ? Entretiens avec des parlementaires et intellectuels français autour de l'Europe actuelle*, Québec, Boréal, 1992.

LENOBLE, Jacques (et N. Dewandre, dir.), *L'Europe au soir du siècle, identité et démocratie*, Paris, éditions Esprit, 1992.

MARITAIN, Jacques, *L'Europe et l'idée fédérale*, Paris, Mame, 1993.

MARQUAND, David, *Parliament for Europe*, London : Jonathan Cape, 1979.

MÉHEUT, Brigitte (dir.), *Le fédéralisme est-il pensable pour une Europe prochaine ?*, Paris, Kimé, 1994.

MILLON-DELSOL, Chantal, *L'État subsidiaire*, Paris, PUF, 1992.

NEUNREITHER, Karlheinz, « The Democratic Deficit of the European Union : Towards closer Cooperation between the European Parliament and the National Parliaments », *Government and Opposition*, 29 (3), 1994.

RENAN, Ernest, *Qu'est-ce qu'une nation ?*, Paris, Presses Pocket, 1992.

RIALS, Stéphane, *Destin du fédéralisme*, Paris, LGDJ, 1986.

SCHNAPPER, Dominique, « Nation et démocratie », entretien, *La Pensée politique*, 3, 1995.

SCHNAPPER, Dominique, *La Communauté des citoyens, sur l'idée moderne de nation*, Paris, Gallimard, 1994.

SÉGUIN, Philippe (et Marie-France Garaud), *De l'Europe en général et de la France en particulier*, Paris, Le Pré aux Clercs, 1992.

SENELLART, Michel, *Les Arts de gouverner. Du régime médiéval au concept de gouvernement*, Paris, Seuil, 1995.

SIDJANSKI, Dusan, *L'Avenir fédéraliste de l'Europe, la Communauté européenne des origines au traité de Maastricht*, Paris, PUF, 1992.

SIEYÈS, Emmanuel *Qu'est-ce que le Tiers-État ?*, Genève, Droz, 1970.

SMITH, Rogers M. (et P. H. Schuck), *Citizenship without Consent*, New Haven, Yale University Press, 1985.

Winckler, Antoine, « Description d'une crise ou crise d'une description », *Le Débat*, 87, 1995.

NUMÉROS DE REVUES CONSACRANT UN DOSSIER SPÉCIAL AU SUJET

« La Nation », *Philosophie politique*, numéro 8, PUF, 1997.

« Nation, fédération : quelles Europe ? », *Le Débat*, numéro 87, Gallimard, novembre-décembre 1995.

« Nation : entre dépassement et reviviscence », *Le Débat*, numéro 84, Gallimard, mars-avril 1995.

« Mettre l'Europe en débat », *Esprit*, Seuil, novembre 1991.

« L'Europe », *Philosophie politique*, numéro 1, PUF, 1991.

« État et nation », *Cahiers de philosophie politique et juridique de l'université de Caen*, numéro 14, publications de l'université de Caen, 1988.

NOTES

1. Mes remerciements vont à Murielle Rouyer de l'Institut universitaire européen de Florence, ainsi qu'à Lucien-Pierre Bouchard et Thierry Chopin de l'École des hautes études en sciences sociales (Paris) pour leurs suggestions et leurs commentaires.

2. Paul Hazard, *La Crise de la conscience européenne, 1680-1715*, Paris, Fayard, 1961, p. 414.

3. Emmanuel Sieyès (Abbé), *Qu'est-ce que le Tiers-État ?*, Genève, Droz, 1970, p. 126.

4. Pour une mise au point précise et argumentée sur les « deux modèles » classiques de la nation moderne, voir les contributions d'Alain Renaut, « Les deux logiques de l'idée de Nation » et « L'idée fichtéenne de Nation » dans le volume « État et Nation », numéro 14 des *Cahiers de philosophie politique et juridique* de l'université de Caen, 1988. Voir également le chapitre Ier de Dominique Schnapper, « Deux idées de la nation » dans son ouvrage *La France de l'intégration, sociologie de la nation en 1990*, Paris, Gallimard, 1990, p. 33 *sq.*

5. Jean-Marie Domenach, *Europe : le défi cuturel*, Paris, La Découverte, 1990, p. 40.

6. On peut d'ailleurs juger cette nouvelle « crise de la conscience européenne » comme une crise de croissance ou une crise paradoxale si l'on considère les réussites de la construction européenne : la paix préservée entre des nations longtemps antagonistes (une des premières justifications de la construction européenne a été la paix entre la France et l'Allemagne), une richesse matérielle historique (même si aujourd'hui le chômage massif et la réapparition de la grande pauvreté nuancent l'analyse sur les quinze dernières années), la multiplication des candidatures à l'adhésion depuis 1989 qui témoigne de l'attrait que représente l'Union européenne.

7. Antoine Winckler, « Description d'une crise ou crise d'une description », *in Le Débat*, 87, 1995, p. 59.

8. Deux débats qui transcendent et englobent la dialectique « approfondissement-élargissement » qui fait habituellement les délices des études et des colloques sur la construction européenne.

9. Dominique Bocquet, « Le paradoxe de l'Europe politique », *in Le Débat*, 87, 1995, p. 53.

10. Dominique Schnapper, « Nation et démocratie », entretien *in La Pensée politique*, 3, 1995, p. 152.

11. *Ibid.*, p. 153-154.

12. Laurent Cohen-Tanugi, *L'Europe en danger*, Paris, Fayard, 1992, p. 110.

13. David Marquand, *Parliamant for Europe*, London : Jonathan Cape, 1979, p. 64 (traduction personnelle). D. Marquand est généralement considéré comme le « père » de l'expression « déficit démocratique » – dans son ouvrage de 1979.

14. Brigitte Boyce, « The Democratic Deficit of the European Community », *in Parliamentary Affairs*, 46 (4), 1993, p. 469 (traduction personnelle).

15. Voir notamment l'article de Boyce précité, ainsi que Karlheinz Neunreither, « The Democratic Deficit of the European Union : Towards a Cooperation between the European Parliament and the National Parliaments », *in Government and Opposition*, 29 (3), 1994.

16. Voir notamment Hugo Hahn, « La Cour constitutionnelle d'Allemagne et le traité de Maastricht », *in Revue générale de droit international public*, 98, 1994.

17. D. Schnapper, « Nation et démocratie », *op. cit.*, p. 154.

18. *Ibid.*, p. 152. Nous soulignons.

19. *Ibid.*, p. 154.

20. Sur la difficulté de l'intégration économique à se prolonger naturellement par l'intégration politique, voir les arguments développés par Raymond Aron dans une conférence de 1974 à la New School for Social Research de New York : « Une société multinationale est-elle possible ? », publiée dans *Commentaire*, 56, hiver 1991-1992, notamment p. 700 *sq*.

21. D. Bocquet, « Le paradoxe de l'Europe politique », *op. cit.*, p. 54.

22. *Ibid.*, nous soulignons.

23. *Ibid.*, p. 57.

24. *Ibid.*

25. *Ibid.*

26. *Ibid.*, p. 55.

27. Béla Farago, « Le déficit politique de l'Europe », *in Le Débat*, 87, 1995, p. 26.

28. *Ibid.*, p. 28.

29. Paul Thibaud *in* Thibaud & Ferry, *Discussion sur l'Europe*, Paris, Calmann-Lévy, 1992, p. 59.

30. B. Farago, « Le déficit politique de l'Europe », *loc. cit.*, p. 32.

31. *Ibid.*, p. 35.

32. *Ibid.*, p. 36 (souligné par l'auteur).

33. *Ibid.*, p. 40.

34. D. Marquand, *Parliament for Europe, op. cit.*, p. 62.

35. Général de Gaulle cité par Phillippe Séguin et Marie-France Garaud, *De l'Europe en général et de la France en particulier*, Paris, Le Pré aux Clercs, 1992, p. 158.

36. La Constitution des États-Unis d'Amérique de 1787 commence par ces mots : « Nous, le peuple des États-Unis, afin de former *une union plus parfaite...* » (nous soulignons). Voir la traduction de Stéphane Rials *in Textes constitutionnels étrangers*, Paris, PUF, 1984, p. 25.

37. D. Schnapper, « Nation et démocratie », *loc. cit.*, p. 155. La thèse « stato-nationale », défendue notamment par Dominique Schnapper et Paul Thibaud dont il va être question dans les lignes qui suivent, est généralement perçue comme une exception française, liée à la tradition républicaine et à ce qui est couramment nommé « le principe nationaliste », conformément à la définition d'Ernst Gellner : « [c']est essentiellement un principe politique, qui affirme que l'unité politique et l'unité nationale doivent être congruentes [...] le nationalisme se définit [...] dans cette tension pour établir une congruence entre la culture et la société politique, dans l'effort pour que la culture soit dotée d'un seul et même toit politique », il ne se limite pas à sa caricature habituelle de romantisme du sang et du sol, au sentiment d'appartenance à « un même système d'idées, de signes, d'association et de modes de comportement et de communication » (E. Gellner, *Nations et nationalisme*, Paris, Payot, 1989, p. 11 *sq.*).

38. Voir sa contribution dans Ferry-Thibaud, *op. cit.*, p. 62-63.

39. Voir Jean-Marc Ferry, *Les Puissances de l'expérience*, Paris, Éditions du Cerf, 1991, tome II, p. 185 et 194, et *infra*. Cette thèse de la dissociation évoquée ici rapidement mériterait un développement plus important, mais, outre qu'elle n'est pas véritablement « française » – son principal défenseur est allemand et son introducteur francophone enseigne en Belgique –, elle est relativement bien connue et exposée. On renverra en français essentiellement aux articles et ouvrages de Jean-Marc Ferry cités en bibliographie ainsi qu'à l'ouvrage collectif dirigé par Jacques Lenoble et Nicole Dewandre, *L'Europe au soir du siècle. Identité et démocratie*, Éditions Esprit, 1992, dont le projet s'inscrit pleinement dans cette perspective comme ses auteurs l'annoncent clairement dans leur introduction : « Le concept d'identité

postnationale, au cœur de cet ouvrage parce qu'il met les choses en perspective, sort de ce dilemme apparemment insoluble (concilier l'unité politique et la diversité culturelle européennes). Il suggère pour cela de dissocier désormais espace culturel et espace politique » (p. 11). La thèse de la dissociation renvoie à la séparation entre citoyenneté et nationalité, séparation que l'inspirateur philosophique de cette approche, Jürgen Habermas, décrit ainsi : « La nationalité règle l'appartenance des personnes à la population d'un État dont l'existence est reconnue par le droit international. Quel que soit le régime politique de l'État, cette définition de l'appartenance en détermine, avec la définition d'un territoire, les limites sociales [...] l'expression « citoyenneté » n'est plus aujourd'hui seulement utilisée pour désigner la nationalité mais aussi pour désigner le statut défini par les droits et les devoirs du citoyen » (Habermas *in* Lenoble-Dewandre, précité, p. 24-25).

40. P. Thibaud, *in* Ferry-Thibaud, *op. cit.*, p. 64.

41. D. Schnapper, « Nation et démocratie », *loc. cit.*, p. 155.

42. P. Thibaud, *op. cit.*, p. 63.

43. D. Schnapper, « Nation et démocratie », *loc. cit.*, p. 164.

44. Raymond Aron, *Paix et guerre entre les nations*, Paris, Calmann-Lévy, 1962, p. 16 *sq.*

45. D. Schnapper, *La Communauté des citoyens, sur l'idée moderne de nation*, Paris, Gallimard, 1994, p. 202.

46. D. Schnapper, « Nation et démocratie », *loc. cit.*, p. 165.

47. *Ibid.*

48. P. Thibaud, *op. cit.*, p. 65.

49. *Ibid.*, p. 66.

50. *Ibid.*

51. *Ibid.*, p. 70 (nous soulignons).

52. Voir Chantal Millon-Delsol, *L'État subsidiaire*, Paris, PUF, 1992.

53. P. Thibaud, *op. cit.*, p. 72.

54. *Ibid.*, p. 68.

55. *Ibid.*, p. 69.

56. *Ibid.*, p. 57.

57. *Ibid.*

58. *Ibid.*, p. 58.

59. Que l'on peut traduire par « vers la gloire... par des chemins détournés ». Victor Hugo, *Hernani*, Acte IV, scène 3.

60. P. Thibaud, *op. cit.*, p. 58-59.

61. *Ibid.*, p. 60.

62. *Ibid.*, p. 61.

63. *Ibid.*, p. 73.

64. *Ibid.*, p. 74.

65. Élie Cohen, *Le Colbertisme high-tech*, Paris, Hachette-Pluriel,

1992, p. 367. Tactique que reconnaît d'ailleurs explicitement Jacques Delors, voir son entretien dans *Le Débat*, 83, 1995, p. 11 notamment.

66. P. Thibaud, *op. cit.*, p. 75.

67. A. Winckler, *loc. cit.*, p. 73.

68. Sur le symbolisme du corps pour l'Église, voir saint Paul, *Première Épître aux Corinthiens*, 12-26, et surtout, pour la lecture politique de cette notion, voir le livre majeur d'Ernst Kantorowicz, *Les Deux Corps du roi*, Paris, Gallimard, 1987. Cf. Winckler, p. 61-63, pour les références générales sur le sujet.

69. A. Winckler, *loc. cit.*, p. 63.

70. Voir J. Bodin, *Les Six Livres de la République*, Darmstadt, Scientia Verlag Aalen, 1977, I, 8 notamment.

71. A. Winckler, *loc. cit.*, p. 66.

72. Olivier Beaud, « Déficit politique ou déficit de la pensée politique », *in Le Débat*, 87, 1995, p. 45 (souligné par l'auteur).

73. A. Winckler, *loc. cit.*, p. 67.

74. *Ibid.*

75. *Ibid.*, p. 69. Voir également, sur les notions d'autonomie et d'obéissance, Michel Senellart, *Les Arts de gouverner*, Paris, Seuil, 1995, p. 68 *sq.*

76. *Ibid.*

77. *Ibid.*, p. 70.

78. *Ibid.*

79. *Ibid.*, p. 71.

80. *Ibid.*

81. *Ibid.*, p. 72.

82. *Ibid.*

83. *Ibid.*, p. 73.

84. On aura remarqué que les trois conditions évoquées ici se trouvent dans les institutions américaines. Voir notamment, pour la description du juge constitutionnel sous ces traits – échappant à la fois aux notions de hiérarchie et de souveraineté –, les *Federalist Papers* de Madison, Hamilton et Jay, dans l'édition d'Isaac Kramnick publiée chez Penguin Classics, 1987 (1787), p. 435 *sq.*

85. Jacques Delors *in* Jacques Lenoble et Nicole Dewandre (dir.), *L'Europe au soir du siècle, identité et démocratie*, Paris, Éditions Esprit, 1992, p. 6.

86. O. Beaud, *loc. cit.*, p. 47.

87. Voir Zaki Laïdi, *Un monde privé de sens*, Paris, Fayard, 1994.

88. D. Bocquet, *loc. cit.*, p. 56.

89. Maurice Duverger *in* Anne Légaré, *La souveraineté est-elle dépassée ? Entretiens avec des parlementaires et intellectuels français autour de l'Europe actuelle*, Québec, Boréal, 1992, p. 24.

90. *Ibid.*, p. 25.

91. Voir les développements de Jean Baechler sur le sujet dans « Europe et fédération », *in La Pensée politique*, numéro 1, 1993, et dans sa contribution à Brigitte Méheut (dir.), *Le fédéralisme est-il pensable pour une Europe prochaine ?*, Paris, Kimé, 1994, p. 47-50 et 57-62 notamment.

92. J. Baechler, « Europe et fédération », *loc. cit.*, p. 259.

93. J. Baechler *in* Méheut, *op. cit.*, p. 52-53 (souligné par l'auteur).

94. O. Beaud, « Déficit politique ou déficit de la pensée politique », *loc. cit.*, p. 46.

95. Voir, pour les développements les plus suggestifs sur l'originalité de l'idée fédéraliste, O. Beaud, « La fédération entre l'État et l'Empire », *in* B. Théret (dir.), *L'État, la finance et le social : souveraineté nationale et construction européenne*, Paris, La Découverte, 1995, p. 282-305.

96. On pourrait y ajouter celui présenté par Étienne Tassin dans « L'Europe, une communauté politique ? », *Esprit*, 176, 1991, à propos de la distinction à établir entre espace commun et espace public dans une perspective arendtienne, car Tassin récuse l'idée d'un État européen et surtout engage à la réflexion sur un « espace de concitoyenneté » comme seule idée capable de donner sens à une communauté politique non nationale. De la même manière que la fédération envisagée par les auteurs dont il est question ici s'inscrit dans la perspective d'une construction politique sans relation avec la souveraineté classique.

97. Voir, sur le « fédéralisme trialiste », Stéphane Rials, *Destin du fédéralisme*, Paris, LGDJ, 1986, 67 *sq.*

98. Voir, pour les distinctions entre modèles étatique, confédéral et fédéral, les contributions de Baechler, Beaud et Duverger, précités ; voir également les distinctions établies par Béla Farago entre toutes ces notions dans « L'Europe : empire introuvable ? », *in Le Débat*, 83, 1995.

99. O. Beaud, « Déficit politique ou déficit de la pensée politique », *loc. cit.*, p. 46.

100. M. Duverger *in* B. Méheut, *op. cit.*, p. 25.

101. Voir M. Walzer, *Spheres of Justice*, New York : Basic Books, 1983, p. 20 *sq.* notamment (tr. fr., *Sphères de justice*, Seuil, 1997).

102. Jacques Delors, « Le moment et la méthode », entretien, *in Le Débat*, 83, 1995, p. 22-23.

De l'état des lieux
à la nécessaire relance

L'UNITÉ QUE L'AVENIR ATTEND DE NOUS

par Karl Lamers

La relation franco-allemande a une valeur en soi. Cette valeur, elle réside dans la volonté de deux peuples d'établir entre eux un rapport qui dépasse tout aussi bien mille cinq cents ans d'histoire, faite de périodes de coexistence comme de confrontations, et leur avenir commun. Ces deux peuples veulent l'unité. Mais pour cela, il leur faut trouver une unité plus grande, qui les englobe tous deux, l'unité européenne. Et leur unité est elle-même nécessaire à l'unité européenne. Ce n'est qu'en servant l'Europe que l'Allemagne et la France servent leur relation.

Si l'on mesure les résultats du traité de l'Élysée à l'aune des relations politiques actuelles, en particulier entre les gouvernements, c'est une immense réussite, surtout si l'on pense à la situation de 1945. C'est indiscutable. Il en va de même de l'attitude de chacun des deux peuples vis-à-vis de l'autre, si l'on prend en compte l'inertie propre à des entités sociales aussi grandes et aussi nettement marquées.

Il faut avoir clairement à l'esprit cette évolution. Nous pouvons nous en réjouir, et même en ressentir une certaine fierté. Si, par contre, on prend pour échelle l'avenir et les défis qu'il représente pour la relation franco-allemande, force est alors de constater que les résultats du traité de l'Élysée constituent une bonne base de travail, mais demeurent insuffisants. Le traité de l'Élysée reste un devoir à accomplir.

Quels sont les défis qui attendent l'Europe et le couple franco-allemand ?

Le premier défi, c'est de concevoir une image commune de la société européenne du XXIe siècle. L'évolution de plus en plus rapide des technologies, ses conséquences sur l'économie et le monde du travail, sur l'édifice social, sur l'imbrication croissante du monde, sur la substance même de l'action politique, contraignent les peuples européens à changer radicalement leurs systèmes économique, social et même leur système politique. Les questions auxquelles il nous faut répondre touchent au cœur de notre conception de la politique. Que peut encore faire la politique, et en particulier la politique nationale ? Comment les Européens peuvent-ils, ensemble, reconquérir un espace pour la politique ? Existe-t-il un modèle de société européen différent du modèle américain ? De quel degré d'harmonisation et de concurrence entre des systèmes nationaux différents avons-nous besoin au sein de l'Europe de l'union monétaire ?

Il est évident que les conséquences du boulever-

sement social et économique vont très loin. Elles
touchent à l'image que nous avons de nous-mêmes.
Elles touchent à notre identité, à notre constitution
physique réelle, et, par conséquent, elles touchent
aussi à nos constitutions juridiques, nationales et
européennes. Sur ces points, les avis divergent parfois
entre la France et l'Allemagne – beaucoup moins
qu'autrefois, c'est vrai, mais encore trop. Une discussion entre nos deux pays, méritant véritablement le
nom de dialogue, est aussi urgente que les tâches qui
nous attendent et qui attendent l'Europe.

Je suis profondément convaincu que l'Europe a
besoin d'un modèle européen, qui sache allier une
économie performante et compétitive au plan mondial à une société solidaire. Nous ne savons pas
encore exactement comment on pourra continuer à
concilier ces deux impératifs à l'avenir, mais je suis
sûr que les voies suivies jusqu'ici nous conduisent sur
le banc de touche. À cela s'ajoute le fait qu'au sein
de l'union monétaire nous allons devoir harmoniser
nos réglementations nationales bien plus et bien plus
vite que ne le croient encore la plupart des gens, en
Allemagne en tout cas. Mais je suis également
convaincu que nous pouvons et que nous devons
pourtant préserver une grande diversité nationale.
Laissons-nous guider par le principe : autant de rapprochement que nécessaire, et autant de diversité et
de compétition que possible.

L'union monétaire va également nous
contraindre à expliciter davantage un autre élément
de notre propre perception de l'Europe : nos rela-

tions avec le reste du monde. Avec l'Euro, le poids économique de l'Europe va augmenter de façon considérable, et il en ira de même de son rôle en politique extérieure. Nous devrions en tirer les conséquences, et saisir l'occasion pour établir une représentation extérieure commune, avant l'entrée de nouveaux membres dans l'Union. Il n'est, par exemple, pas concevable que des membres d'une union monétaire défendent des positions différentes dans une réunion du G7-G8, ou même au FMI. Ne serait-il pas logique qu'au FMI, l'Union européenne, en tant qu'union monétaire, devienne membre à la place des pays qui la composent ? Dans le cas contraire, le déséquilibre entre le « géant économique et le nain politique qu'est l'Europe » apparaîtrait de manière encore plus flagrante. Cette asymétrie dans le rapport entre deux domaines indissociables de la politique ne peut rien apporter de bon à long terme, en particulier dans nos rapports avec les États-Unis.

Nos rapports avec les Américains jouent un rôle central dans la perception que l'Europe a d'elle-même. Les États-Unis, la « sœur » de l'Europe, qui ont grandi jusqu'à la dépasser, à présent la seule grande puissance, font également partie – partie dominante – d'un système plus grand, l'Occident, auquel appartient aussi l'Europe. Certes, l'Occident ne représente qu'une petite partie de l'humanité, une partie plus petite chaque jour ; il ne domine plus le reste du monde, sa mentalité est parfois rejetée par d'autres, et même âprement combattue, mais tout le monde cherche à adopter son matérialisme, et tous dépendent de sa coopération. Si l'on rapporte cela à la capacité d'action politique au plan mondial, l'Europe fait partie du système américain. Et, en Europe même, les États-Unis font partie du système européen. Ils sont tout à la fois dedans et dehors, européens et non européens. Ils siègent ouvertement (à l'OSCE), ou plus discrètement, à toutes les réunions européennes – et nombreux sont ceux qui, en Europe centrale et de l'Ouest, considèrent que c'est aussi pour faire contrepoids à l'Allemagne et la surveiller. Ils sont pour l'Europe tout à la fois le partenaire et le symbole d'une hégémonie. Ils ont abondamment contribué à renforcer l'Europe et son unité, mais ne veulent pas en perdre le contrôle, surtout dans le domaine de la sécurité. L'Amérique a besoin de l'Europe, mais l'Europe a encore plus besoin de l'Amérique.

Les relations avec les États-Unis ont un rôle crucial à jouer, si l'Europe veut s'affirmer et si la France et l'Allemagne veulent se retrouver, car elles constituent jusqu'à ce jour un point de désaccord latent, et même souvent patent. Le préambule placé par le Bundestag avant le traité de l'Élysée en avait donné de façon brutale un signe très clair, pour la plus grande déception du général de Gaulle. L'Allemagne ne voulait pas avoir à choisir entre la France et les États-Unis, mais disait clairement que, si elle était amenée à choisir, elle se rangerait du côté des Américains, parce qu'elle n'avait pas le choix. La situation a changé. Aujourd'hui, l'Allemagne ne dépend pas plus des États-Unis que ses partenaires européens. Mais dans quelle mesure en dépendent-ils encore, à quel point souhaitent-ils et peuvent-ils en être indépendants ? La question n'a pas été épuisée entre eux tous, et en particulier pas entre la France et l'Allemagne.

La première chose que doit faire l'Allemagne, encore plus rapidement que la France, c'est reconnaître et admettre cette réalité. Elle doit comprendre que ses efforts anxieux pour ne pas avoir à choisir entre l'Amérique et l'Europe sont dépassés. Elle a depuis longtemps choisi l'Europe.

Choisir l'Europe, cela ne signifie pas rejeter l'Amérique. Éprouver une rancune face à l'arrogance que l'on rencontre parfois de la part des États-Unis n'aurait aucun sens. Placés dans la même situation, les Européens ne se comporteraient pas autrement. La faute en incombe bien davantage à la faiblesse de l'Europe. L'Amérique a besoin d'un partenaire qui puisse également être un adversaire, et l'Europe pourra jouer ce rôle si la France et l'Allemagne lui en montrent la voie.

Choisir l'Europe, cela signifie faire du vieux continent un acteur mondial, que le reste du monde attend avec tant d'impatience. Cela ne signifie pas que l'Europe doive s'équiper militairement exactement comme le font les États-Unis, mais qu'elle doive faire valoir ses propres atouts. L'Europe ne peut toutefois pas se contenter d'être une « puissance civile », dont certains Allemands continuent de rêver. L'Europe reste en tout état de cause tributaire de sa coopération avec l'Amérique. Mais ce qui est important, c'est que l'Europe parle d'une seule voix, et si tel n'est pas le cas, que l'Allemagne et la France, elles, parlent d'une seule voix. Qu'est-ce que cela signifie concrètement ? On s'en tient à l'exigence commune d'une véritable européanisation de l'OTAN, y compris pour la transmission du commandement Sud à un Européen ; l'Allemagne maintient sa participation à Hélios/Horus ; le « concept franco-allemand de défense et de sécurité », du 9 décembre 1996, doit être davantage élaboré, pour déboucher sur une stratégie de sécurité opérationnelle ; la coopération en matière d'armement n'a pas seulement besoin de reposer sur une structure industrielle, elle a également besoin d'un édifice politique ; il faut définir et concrétiser les priorités de la coopération au plan mondial en matière de politique extérieure. La Russie se prête à cela, tout comme l'ensemble du bassin méditerranéen, y compris le Proche et le Moyen-Orient.

Sur la question de l'élargissement de l'UE aussi, il s'agit de savoir comment se conçoit l'Europe : jusqu'où doit et jusqu'où peut aller l'Europe ? Ce n'est pas seulement une question de frontières géographiques, mais aussi de diversité interne. Cette dernière va faire un bond qualitatif, non seulement dans les domaines de la politique, des centres d'intérêt, des priorités, mais plus encore dans les façons de voir les choses et dans les mentalités. L'élargissement et l'approfondissement ont toujours été en opposition potentielle ; c'est vrai encore sous une nouvelle forme pour la prochaine série d'adhésions. La cohésion de l'Union se retrouve au banc d'essai, et, avec elle, la relation franco-allemande.

Tous les problèmes liés à l'élargissement ne peuvent être résolus que dans un esprit de solidarité européenne. Pourtant, quelques partenaires au sein de l'Union pensent que, l'Allemagne souhaitant réduire à l'avenir sa contribution financière, alors que, dans le doute, on doit considérer que l'élargissement nécessitera des financements supérieurs, ou au moins équivalents – c'est le point de vue de la Commission –, l'élargissement leur imposerait de plus grands sacrifices, alors que l'Allemagne récupérerait à elle seule au moins la moitié des avantages économiques liés à cet élargissement. Cette impression est fausse : l'Allemagne ne veut pas faire payer l'élargissement par ses partenaires. Mais personne ne doit non plus dire : « ce que j'ai, je le garde ». Tout doit pouvoir être réexaminé.

Si l'attitude de l'Allemagne a été mal comprise, c'est une raison de plus pour l'inciter à clarifier ses intentions, d'autant que derrière ces considérations d'ordre économique se dissimule une crainte politique plus générale, partagée notamment par de nombreux Français : la puissance de l'Allemagne, déjà considérablement accrue par la fin du conflit Est-Ouest et la réunification, profiterait de l'élargissement à un point tel que l'équilibre interne de l'Union, et en particulier l'équilibre entre l'Allemagne et la France, en serait dangereusement perturbé. On pourrait développer bien des arguments pour répondre à cette thèse, mais là n'est pas notre propos. Ce que l'on peut dire d'une façon générale, c'est ce que Wolfgang Schäuble et moi avions indiqué il y a trois ans : toutes ces inquiétudes seront d'autant plus désuètes que l'Europe constituera une entité économique et politique intégrée, et donc une grande communauté solidaire. Notre conviction n'a pas changé en trois ans, si ce n'est qu'elle s'est encore renforcée : l'Europe a besoin d'un noyau solide, dont l'effet d'attraction est actuellement démontré par le projet d'union monétaire, et le noyau de ce noyau se compose de la France et de l'Allemagne, dont les relations doivent franchir une nouvelle étape qualitative, eu égard aux défis présentés.

Comment y parvenir ?

La France et l'Allemagne doivent s'entendre pour savoir jusqu'où doit aller l'Europe, et s'accorder sur les limites de son action aux plans intérieur et extérieur. Car si l'on ne sait pas où l'on finit, on ne sait pas non plus où l'on commence. L'enjeu va bien au-delà de la « réforme institutionnelle » : l'enjeu, c'est la constitution de l'Europe, au sens physique comme au sens juridique. Pour y répondre, il faut que les Français et les Allemands imbriquent leurs processus nationaux de prise de décision et se donnent les moyens de mener un véritable dialogue. Ce sont surtout les partis et les groupes politiques qui doivent, plus encore qu'ils ne le font déjà, élaborer des positions communes sur les questions centrales, ce qu'ont commencé à faire la CDU-CSU, le RPR et l'UDF. D'autres associations socio-politiques, les organisations patronales et syndicales, doivent faire de même. Les gouvernements devraient accueillir aux positions clés (Élysée, Matignon, chancellerie fédérale, ministères des Affaires étrangères et de la Défense), mais aussi dans les ministères intéressés plus particulièrement par l'Europe, comme, par exemple, au ministère de l'Agriculture, des responsables politiques représentant l'autre pays, jusqu'au rang de ministres délégués, pour qu'ils participent aux prises de décision. Il faut aussi faire participer encore davantage les citoyens, et il faut dynamiser les partenariats et jumelages. Tout jeune Allemand ou Français qui a fréquenté pendant une année l'école ou l'université dans le pays voisin devrait se voir attribuer un bonus pour la suite de sa formation. L'Université franco-allemande doit connaître le même succès que l'Office franco-allemand pour la jeunesse.

Les problèmes qui opposent les Français et les Allemands ne sont pas les problèmes des peuples, mais ceux de leurs classes politiques respectives. Si nous voulons passer l'épreuve avec succès, chacun doit surmonter ses préjugés, ses ressentiments, son indifférence, ses fixations et ses craintes. La France et l'Allemagne doivent parvenir à se déterminer moins en fonction de leur passé, et se tourner davantage vers leur avenir. Elles doivent être ouvertes et franches l'une pour l'autre, car la franchise, c'est la condition de l'unité que l'avenir attend de nous.

ET MAINTENANT ?

par Jacques Delors

Ce livre écrit à plusieurs mains, nous souhaite-rions tant que les jeunes générations le lisent et le méditent. Un appel leur est lancé pour qu'elles s'ap-proprient l'héritage de ce demi-siècle de relations franco-allemandes et poursuivent dans l'esprit des pionniers, tout en y imprimant leur propre marque.

Qu'elles ne se découragent pas devant le détour qui leur est proposé, par un regard en profondeur sur les débats qui agitent chacun de ces deux pays. Qu'elles ne croient surtout pas que ces analyses complexes et ces débats entre intellectuels sont du temps perdu et nous éloignent d'un pragmatisme synonyme d'efficacité. Bien au contraire, il s'agit là de données profondes, tirées de l'histoire de ces nations, que celles-ci portent, en quelque sorte, dans leurs gènes. Il n'y a pas de réflexion lucide sans cette dia-lectique entre le travail proprement intellectuel et l'action concrète des responsables.

Bien plus, si l'on est « européen » en idéal et en pratique, il est vital d'entendre la voix et les arguments de ceux qui nous mettent en garde contre l'oubli de nos traditions et contre la négligence d'un sentiment d'appartenance, et, disons-le, d'un patriotisme de bon aloi.

Militer pour l'approfondissement de l'amitié franco-allemande et pour l'unité politique de l'Europe, ce n'est pas, dans notre esprit, oublier les identités française ou allemande et renoncer à leur redonner toute leur vitalité. Car il ne peut y avoir de grand dessein sans que nos communautés nationales soient vivantes et renforcées par une cohésion citoyenne et sociale. De ce point de vue, on aurait tort d'imputer à la construction européenne les maux qui affectent nos sociétés et nos démocraties. Ces maux ont des causes plus profondes qui tiennent à l'insuffisance des réponses apportées au déchirement du lien social et à la faiblesse insigne du débat démocratique.

Mais, à l'inverse, doit être fustigée toute fuite en avant qui ferait de ce projet européen le remède miracle à toutes nos graves difficultés. Remédier à la menace du déclin qui touche notre continent relève à la fois de cette recherche d'une unité qui fait la force et d'un redressement moral et politique qui doit être entrepris à tous les niveaux, à commencer par le niveau national.

Deux personnalités nationales

Pour en revenir à notre sujet central, les études nationales soulignent, avant même qu'il soit question des polémiques présentes, combien les cultures respectives de nos deux pays sont, bien entendu, différentes.

Au risque de schématiser, disons que, pour la France, domine le triptyque nation-république-citoyen, alors que, pour l'Allemagne, c'est plutôt la nation certes, mais aussi les communautés (les *Länder*) et le peuple (*Volk*). La version française passe par la centralisation et l'intégration, alors que le modèle allemand tourne autour du fédéralisme et de la diversité. Arrêtons là cette comparaison qui heurtera déjà certains, par un schématisme qui nous fournit cependant une des clés pour comprendre l'une des difficultés du dialogue franco-allemand.

Une autre difficulté réside, me semble-t-il, dans le fait qu'en France, philosophie républicaine exige, tout est politique, au bon sens du terme. Alors qu'en Allemagne la dimension institutionnelle occupe une place prépondérante dans les réactions des citoyens. Que l'on songe au prestige de la Bundesbank dont les décisions sont très rarement contestées, et uniquement par une minorité dans des discussions très techniques, sur l'opportunité de telle ou telle action. Ou encore à la Cour constitutionnelle de Karlsruhe, dont le champ d'investigation dépasse largement celui du Conseil constitutionnel en France. Le rapprochement entre ces deux exemples n'est d'ailleurs pas fortuit, si l'on se rappelle l'exposé des motifs de la Cour constitutionnelle à propos du traité de Maastricht, et notamment de ses articles consacrés à l'Union économique et monétaire.

Il ne faut pas, dans ces conditions, s'étonner outre mesure des incompréhensions nées à propos de la mise en œuvre de l'UEM, des procès d'intention réciproques. La France est soupçonnée de vouloir exercer une tutelle sur la Banque centrale européenne, l'Allemagne, de son côté, subit le reproche de vouloir instaurer la suprématie, sans contrepartie, du pouvoir monétaire.

Quelques épisodes significatifs

Ces différences d'approche expliquent une histoire marquée également par le contexte international.

Deux paramètres ont longtemps influencé le cours de nos deux relations : les contraintes de la guerre froide et l'existence, chez nos amis allemands, d'un sentiment de culpabilité historique. Les deux poussaient dans la même direction : la nécessaire réconciliation et sa réalisation facilitée par le projet européen.

Dans les années 1950, les positions étaient souvent asymétriques. Lors de la négociation du traité de Rome, la France s'est focalisée sur l'agriculture, même si elle a dû faire une concession aux Allemands sur le prix du blé, fixé à un niveau trop élevé, ce qui devait ensuite compliquer la gestion de la politique agricole commune. L'Allemagne, de son côté, voyait dans la réalisation du Marché commun la promesse d'importants débouchés pour sa puissante industrie. Celle-ci faisait peur à certains milieux français – patronaux et politiques – qui marquaient, à l'époque, leur hostilité au traité de Rome.

Selon la bonne théorie classique des diplomates, il fallait rechercher un équilibre dans des compromis, ce qui fut fait, la France obtenant, au surplus, un statut spécial pour ses territoires et départements d'outre-mer.

Cette obsession de l'équilibre se retrouvait dans ce sentiment, très répandu en France, que, si l'Allemagne disposait de formidables atouts avec son industrie et sa monnaie (déjà le deutsche Mark !), notre pays s'enorgueillissait de son indépendance militaire et de son arme atomique. Ne sous-estimons pas ces réactions qui, en rassurant chaque partenaire, permettaient d'avancer dans la coopération franco-allemande, sans que nul n'ait le sentiment d'être en position permanente d'infériorité.

Au-delà de cette explication politico-psychologique, la progression s'est faite, selon l'expression de certains historiens, au prix de malentendus créateurs qu'évoque Joseph Rovan.

L'un d'eux concerne le traité de l'Élysée du 22 janvier 1963, dont cet ouvrage veut en quelque sorte célébrer le trente-cinquième anniversaire. Sa signature suit l'échec du plan Fouchet qui proposait un saut qualitatif vers l'Union politique, mais selon des modalités – remaniées au dernier moment par le général de Gaulle – qui furent rejetées par nos cinq partenaires. Ainsi le Général faisait-il oublier son échec et allait, avec le chancelier Adenauer, donner un cadre pour nos relations. Ainsi était solennisée la prise de conscience que les deux pays étaient, pour ainsi dire, condamnés à s'entendre et à approfondir leur coopération.

Le malentendu surgit, lorsque le Bundestag y ajouta un préambule dont certains observateurs dirent immédiatement qu'il contrariait les intentions affichées par les deux chefs d'État et de gouvernement. Il portait sur la réaffirmation, par l'Allemagne, de la priorité accordée à l'Alliance atlantique sur tout autre projet lié à la défense. Il n'a pas disparu puisque aujourd'hui encore, dans un contexte certes différent, existent plus que des nuances quant au chemin qui pourrait mener à une défense européenne. Nous aurons l'occasion d'y revenir.

Le terme de malentendu n'est pas non plus excessif, pour évoquer le traité de Maastricht. Le chancelier Kohl avait toujours souligné que l'Allemagne ne pourrait accepter une monnaie unique que si, parallèlement, on mettait en œuvre une union politique. Constat de bon sens, selon moi. Mais la réalité est hélas différente, dans la mesure où la partie politique du traité de Maastricht se révèle inopérante dans les faits.

Retenons cependant de ces deux épisodes que ces malentendus ne doivent pas être l'arbre qui cache la forêt de nos ambitions communes. Comme le relate le général de Gaulle dans ses mémoires, lui-même et Konrad Adenauer avaient défini, dans la plus grande clarté, lors d'un entretien à « La Boisserie », en novembre 1962, les termes du contrat de mariage :

– la volonté très forte de réconciliation entre les deux peuples ;
– une attitude commune de fermeté vis-à-vis de l'Union soviétique ;
– l'objectif de réunification de l'Allemagne.

D'autres malentendus menacent

À vrai dire, je ne sais s'il faut parler de malentendus ou de divergences d'intérêts. Mais, aujourd'hui, alors que la construction européenne doit faire face à un agenda extrêmement chargé, le doute s'installe sur son avenir et sur la capacité conjointe de la France et de l'Allemagne de contribuer à relancer valablement le processus.

Prenons tout d'abord l'affaire de la défense, surtout après l'échec de la tentative française de faire accepter ses conditions pour réintégrer l'organisation militaire de l'Alliance atlantique. Certes, l'Allemagne déclare comprendre les préoccupations françaises. Les faits témoignent qu'elle a toujours essayé d'aider la France à trouver la voie qui permettrait, par cette réintégration, de constituer le pôle européen de l'OTAN. Mais, au fond des choses, nos voisins ne semblent pas partager l'analyse française sur les fondements de la politique américaine. Ils nous trouvent trop agressifs et peu réalistes quant à la réalité des rapports de forces. Leur sentiment est d'ailleurs partagé par la plupart des autres membres de l'Union européenne.

Ainsi se trouve posée une question qui n'a jamais été vraiment traitée dans tous ses aspects, au niveau de l'Union européenne, celle de son autonomie d'action et, donc, de ses marges de manœuvre à l'égard des États-Unis. La chronologie des événements est marquée par les difficultés éprouvées par les Quinze à trouver une position commune, tout d'abord en matière de relations économiques extérieures. Certes, il faut, au préalable, tenter de surmonter les divergences normales d'intérêt entre les pays membres, à propos de l'agriculture, de la banane, de l'audiovisuel... pour ne prendre que quelques exemples. Mais, au-delà de ces confrontations, le cœur du problème réside dans la définition des ambitions réelles de l'Union européenne.

Notons, à cet égard, les faiblesses mêmes du Traité, qui ne consacre pas ce que l'on appelle la voie unique, c'est-à-dire le mandat donné à la Commission par le Conseil des ministres, de négocier soit dans le cadre multilatéral, soit dans le cadre bilatéral tous les dossiers relatifs à la politique économique extérieure. La Commission a réclamé, en vain, lors de la négociation du traité d'Amsterdam, d'élargir l'article 113, notamment aux services et à la propriété intellectuelle.

Or, si cette thèse avait été acceptée, les pays membres auraient été contraints de rechercher des positions communes, reflétant alors une conception unique de la position de l'Union européenne, et pas seulement, bien que cela soit le test principal, vis-à-vis des États-Unis.

S'il en avait été ainsi, les possibilités d'actions communes en matière de politique étrangère auraient été plus grandes, tant il est vrai que chaque diplomatie doit disposer de tous les atouts – politiques, économiques, commerciaux et financiers – pour mener une action efficace. De ce point de vue, la structure par piliers de l'Union – que, pour ma part, j'ai toujours combattue – n'arrange rien. Car les questions commerciales relèvent du premier pilier d'inspiration communautaire, alors que les affaires étrangères appartiennent au deuxième pilier de structure intergouvernementale.

Pour en revenir au dialogue franco-allemand, sans doute la France sous-estime-t-elle les rapports de forces et le rôle stratégique conquis par l'Allemagne fédérale, dans le nouveau contexte de l'après-guerre froide. Mais ce constat ne rend que plus impérieuse une confrontation amicale et exhaustive entre les deux pays. Si ces derniers se présentent en ordre dispersé à chaque débat conduit au niveau de l'Union européenne, il n'y a pratiquement aucune chance de faire progresser la politique étrangère et de sécurité commune (la PESC).

Préparer l'avenir

Il en est de même pour le traitement de l'Agenda 2000, cet excellent document préparé par la Commission, pour servir de cadre à l'étude de tous les problèmes soulevés par l'élargissement. Faut-il attendre le dernier moment pour trouver des solutions, c'est-à-dire au « finish », les pays étant le dos au mur et décidant, selon la bonne tradition (*sic*), d'arrêter les pendules ? Je ne le crois pas.

Qu'il s'agisse de la politique agricole commune, des politiques structurelles, de la nature et de l'ampleur de l'aide accordée aux pays candidats à l'adhésion, je crains, si l'on n'y prend garde, que ne se lèvent de lourds contentieux entre l'Allemagne et la France. Il en irait de même pour la traduction financière des choix opérés, c'est-à-dire de la répartition des contributions nationales au budget communautaire.

Au surplus, conduire cette discussion, avec la seule considération des soldes nets, ne peut qu'amener une crise grave qui, à l'instar de ce qui a suivi la revendication de Mme Thatcher en 1979, entraînerait la paralysie de la vie communautaire. Il a fallu, rappelons-le, cinq ans avant que la question de la contribution britannique soit réglée, au Conseil européen de Fontainebleau, grâce à l'action de François Mitterrand.

Il est donc urgent que Français et Allemands décident d'une méthode de travail pour aborder sereinement tous ces problèmes qui conditionnent l'essor de la construction européenne. Et ce, sans attendre les prochaines élections législatives allemandes, en septembre 1998. Ce qui est la tentation, au nom du pragmatisme, des chancelleries.

Et de souligner, d'ores et déjà, la lacune que constitue l'absence de processus permanents de concertation entre nos deux pays, qui permettraient de clarifier, puis de proposer des éléments de convergence. Joseph Rovan et Karl Lamers font, chacun de leur côté, des propositions fortes et concrètes qui méritent d'être étudiées par nos responsables politiques.

Le saut qualitatif de l'UEM

Nombre de spécialistes ne s'alarment pas outre mesure de ces mises en garde, impressionnés par la méthode dite de l'engrenage, une avancée en provoquant une autre. Ils misent donc sur l'effet politique de la mise en œuvre de l'Union économique et monétaire.

À supposer même que celle-ci démarre dans les meilleures conditions possibles, et sans sous-estimer son impact prévisible, ce ne sera pas suffisant pour créer un climat favorable au traitement de l'Agenda 2000.

Car autant l'UEM se situe dans le droit fil de la relance commune en 1985, avec l'objectif 92 du grand marché, l'Acte unique et la réforme des politiques d'accompagnement, autant l'élargissement se place dans une direction nouvelle, en raison du nombre des candidats, de leur situation économique et sociale et de l'inadaptation du cadre politico-institutionnel.

C'est pourquoi, en octobre 1997, lors de la signature du traité d'Amsterdam, la France, la Belgique et l'Italie ont déposé une déclaration demandant que le schéma institutionnel soit revu et adopté, avant que le prochain élargissement intervienne. L'Allemagne n'a pas cru devoir s'associer à cette demande. S'agit-il d'une précaution liée au climat politique interne et à la proximité d'une élection importante, ou bien de la conviction qu'une telle réforme n'est pas urgente et que l'Union pourrait fonctionner, avec ses processus actuels, jusqu'au passage de quinze à vingt membres ?

Or il est patent que, déjà à quinze, le système ne donne plus satisfaction. La machine est grippée, en dépit des efforts de la Commission. Le processus de décision souffre d'un double manque d'efficacité et de transparence. Cela est d'autant plus dommageable qu'avec la réalisation du marché unique et l'heureuse diffusion des politiques structurelles, l'Europe pénètre la vie des citoyens, pour le meilleur, mais aussi pour les contraintes perçues comme telles. Or, on ne le répétera jamais assez, l'effort d'adaptation demandé aux pays européens est dû essentiellement à la mondialisation, aux retombées du progrès technique et à l'émergence de nouveaux compétiteurs. Mais qui a le courage de l'expliquer et de démontrer à l'opinion publique que « plus d'Europe » peut aider chacun de nos pays à franchir les obstacles, tout en maintenant les valeurs et les bienfaits du modèle social européen ?

Il est trop facile, il est même dangereux de prendre la construction européenne comme alibi ou comme prétexte pour imposer les adaptations nécessaires.

C'est pourquoi il existe un lien évident entre une pédagogie de la réforme, une explicitation des finalités de la construction européenne et un fonctionnement plus démocratique et plus transparent de l'Union. Alors, les enjeux européens deviennent-ils un élément central du débat politique, les citoyens comprenant mieux le pourquoi et le comment, sachant « qui fait quoi » et, par conséquent, qui est responsable.

Là encore, la concertation franco-allemande doit démarrer sans attendre.

Une amitié pour elle-même

Même si les questions européennes constituent, depuis plusieurs années, l'essentiel des travaux entre la France et l'Allemagne, elles ne doivent pas opérer un effet réducteur sur cette amitié.

Des questions économiques bilatérales jusqu'aux partenariats en matière d'éducation et de culture, c'est toute la gamme de notre vie commune qui doit être jouée.

Maintes fois a été souligné le caractère émotionnel de cette relation, au-delà de la raison et de la nécessité. De ce point de vue, beaucoup peut être fait si une impulsion plus forte est donnée par les responsables politiques.

J'ai parfois pensé qu'un geste solennel pourrait nous sortir de la routine et opérer un bond en avant. J'avais songé, avec d'autres, à une sorte de nouveau traité de l'Élysée. Mais l'exposé des motifs de 1963 est satisfaisant, les modalités sont toujours valables. Alors pourquoi s'atteler à la rédaction difficile d'un traité et succomber aux charmes de l'incantation ? Joseph Rovan, qui souligne l'insuffisance des moyens octroyés aux projets déjà adoptés, le montre bien. Ce qui n'est après tout que l'aveu d'une absence de volonté politique de faire réellement vivre l'amitié entre nos deux peuples.

C'est pourquoi il faut, avant tout, créer un état d'esprit, un espoir, une volonté, des pratiques impliquant une plus grande familiarité et une plus grande régularité des rapports entre les ministères, les parlements, les partenaires sociaux et surtout nos jeunesses.

Que ce livre soit un petit caillou blanc sur le chemin qui mène à la prise de conscience du caractère vital, dans l'intérêt de nos deux nations, d'une amitié et d'une relation qui préparent pour les nouvelles générations un avenir meilleur, en leur transmettant un héritage et les instruments d'une coopération que l'Histoire retiendra alors comme un des faits majeurs de la renaissance de l'Europe. C'est, tout au moins, l'espoir qui nous fait agir.

TABLE

- *Laurent Bouvet*

Docteur en science politique, est chercheur à l'École des hautes études en sciences sociales (Paris) et à l'université de Sienne (Italie).

- *Donate Kluxen-Pyta*

Docteur en philosophie, auteur d'une thèse sur l'éthique du patriotisme. Est chargée de mission auprès du BDA (organisme du patronat allemand) et maître de conférences en philosophie à l'université de Bonn.

- *Karl Lamers*

Député au Bundestag en Allemagne, membre de la commission des affaires étrangères et, depuis 1991, porte-parole du groupe CDU du Bundestag pour les affaires étrangères.

- *Joseph Rovan*

Professeur émérite à la Sorbonne (civilisation allemande), président du Bureau international de liaison et de documentation (association pour le développement de l'entente franco-allemande, fondée en août 1945) et directeur de *Documents, revue des questions allemandes.*

CET OUVRAGE A ÉTÉ TRANSCODÉ
ET ACHEVÉ D'IMPRIMER SUR ROTO-PAGE
PAR L'IMPRIMERIE FLOCH À MAYENNE
EN MARS 1998

N° d'impression : 43022.
N° d'édition : 7381-0580-X.
Dépôt légal : mars 1998.

Imprimé en France.